JN272413

社会がみえる！ WAKUWAKU book

インターネットの不思議、探検隊！

村井 純
絵・山村浩二

太郎次郎社エディタス

もくじ

第1章 インターネットの不思議 — 5
- 1-1 プロローグ — 6
- 1-2 インターネットで助かった — 10
- 1-3 探検隊の結成 — 12
- 純ちゃんコラム　災害とインターネットの話 — 14

第2章 デジタルの不思議 — 17
- 2-1 デジタルってなに？ 食べられるの？ — 18
- 2-2 デジタルは正確に伝わる — 25
- 2-3 デジタルは効率よく伝わる — 31
- 純ちゃんコラム　人間とデジタルの話 — 35

第3章 コミュニケーションの不思議 — 37
- 3-1 ヒトとイヌ、ことばは通じる？ — 38
- 3-2 コミュニケーションにはルールがある — 39
- 3-3 コミュニケーションには層がある — 43
- 純ちゃんコラム　IPアドレスの話 — 47

第4章 ネットワークの不思議 — 51
- 4-1 ちょっとした冒険 — 52
- 4-2 ネットワークの鉄道モデル — 58
- 4-3 インターネットは保証しない — 65
- 純ちゃんコラム　インターネットの模型の話 — 77

第5章 自律分散システムの不思議 —— 79
- 5-1 信号のない交差点 —— 80
- 5-2 両はしが頭がよい —— 83
- 5-3 中心がなくてもだいじょうぶ —— 89
- 純ちゃんコラム　インターネットの成り立ちの話 —— 92

第6章 どこにでもある不思議 —— 95
- 6-1 インターネット自動車 —— 96
- 6-2 不思議の国の子どもたち —— 100
- 6-3 どこでも、だれでもインターネット —— 106
- 純ちゃんコラム　インターネットの進化と可能性の話 —— 115

第7章 セキュリティの不思議 —— 117
- 7-1 どっちがほんもの? —— 118
- 7-2 暗号と秘密 —— 127
- 7-3 ふたつの鍵と、秘密の箱 —— 131
- 純ちゃんコラム　インターネット時代のセキュリティ管理の話 —— 138

第8章 はじまりのおわりの不思議 —— 141
- 8-1 空港でびっくり —— 142
- 8-2 不思議の国からの旅立ち —— 143
- 8-3 エピローグ〜新しい探検をはじめよう! —— 147
- 純ちゃんコラム　人と地球とインターネットの話 —— 142

あとがき —— 149

ストーリー●斉藤賢爾　キャラクター原案●松永敦子

登場人物

あっちゃんこ
幼稚園にかよう年ごろの、ちょっとおませな女の子。好奇心が旺盛。

ケンチャ
インターネットとつながるスーパーロボット。あっちゃんこたちといっしょに暮らしている。

パピーちゃん
スパニエル系の心やさしい子犬。ちょっぴりおひとよし。あっちゃんこたちといっしょに暮らしている。

さすらいのカモんがも
あっちゃんこがおどろいたり、不思議に思ったりしたときに、どこからともなくあらわれるカモ。風来坊。

工学博士 純ちゃん
この物語の語りべ。インターネットをつくった張本人のひとり。コラムに登場し、博士ならではの話を聞かせてくれる。

なぞの老人 スットコホルム氏

叔父さん
社会派の青年。インターネットは使いこなせるけど、その仕組みについての知識はあまりない。

あっちゃんこのママ
とてもおおらかでやさしいお母さん。インターネットの技術者らしい。

第1章 インターネットの不思議

①-① プロローグ

落っこちた

「あっちゃんこ、もうそろそろ帰ろうよ」
　ケンチャが心配そうに言いました。
　あっちゃんこは、おやつを食べたあと、きょうも、いつものようにスーパーロボットのケンチャと子犬のパピーちゃんといっしょに、家のまえの道で遊んでいました。
　道の向かいには広い野原があって、以前は、そこでかけっこなどをして遊んでいたのですが、いまはそこに公園をつくる工事がはじまっていて、入れなくなっていました。それがあっちゃんこには気に入りません。でも、最近できたばかりの銀色にピカピカ光るすべり台のことが、ちょっと気になっていたのです。
　きょうは工事が休みだったのか、あたりにはだれもいません。そこで、あっちゃんこは工事現場を探検することにしたのでした。（あぶないから、みんなはまねしちゃだめですよ。）
「あぶないよ、あっちゃんこ」
　引きとめるケンチャとパピーちゃんの言うことも聞かずに、あっちゃんこは柵の下をくぐりぬけて、工事現場に入っていきました。めざすはすべり台。どんどん進んでいくあっちゃんこのあとを、ケンチャとパピーちゃんが追いかけていきます。
　空はもう薄暗くなってきていました。
「あっちゃんこ、もうそろそろ帰ろうよ」
　ケンチャは心配して言いました。でも、あっちゃんこは気にせず、そのままどんどん進んでいきます。すると後ろで、
「あっちゃんこ、こんなところにおっきな穴があるの。あぶないの」
とパピーちゃんが言う声がしました。
「あっ、ほんとだ！」

ふり返ると、さっき通ったときは平らでなにもなかった場所なのに、ぽっかり大きな穴があいていました。それは穴というよりは、地面に描かれたまっ黒な丸で、深いのか浅いのかさえ、わかりません。なんだかおもしろそうです。あっちゃんこは、ほうっておくことができなくて、穴のふちまで来ました。

　穴の奥はどうなっているのでしょう。のぞきこもうとするあっちゃんこのからだが、だんだんまえかがみになっていきます。ケンチャは、それを心配そうに見ていました。

「あっちゃんこ、あぶないよ」

　でも、あっちゃんこのからだは、どんどん、かたむいていきます。

「あれれ、すいこまれていくよ」

　そしてとうとう、コロン、とあっちゃんこは、穴のなかに転がり落ちていきました。

「あっちゃんこ！」

　ケンチャもすかさず、あっちゃんこのあとを追って、穴のなかにとびこむと、スッと消えてしまいました。

「あっちゃんこ！　ケンチャ！」

たいへんなことになってしまいました。一瞬のうちに、ふたりとも消えてしまったのです。残されたパピーちゃんは、どうしてよいかわからず、穴のまわりをかけまわりながらほえつづけました。

「あっちゃんこ！　ケンチャ！」

すると、穴の奥からケンチャの小さな声がしました。

「おーい」

「ケンチャなの？」

「おーい、パピーちゃん。聞こえるなら、こっちに来ちゃだめだからね！」

あっちゃんことケンチャは、なにか危険なめにあっているのかもしれません。家にいるあっちゃんこのお母さんをよびにいこうか、どうしようか迷っていたパピーちゃんも、意を決して穴のなかにとびこみました。

「ワンッ！」

つぎの瞬間、ポンッ！　という軽快な音とともに、パピーちゃんは穴の向こうがわにとびだしていました。

穴の向こうがわは

明るい空の下で、ヒュンヒュン音をたてて白い大きな風車が回っています。その風車をささえる高い塔の下に、あっちゃんことケンチャがいました。

「パピーちゃん、来ちゃったんだね」

「だって、あっちゃんことケンチャが心配だったの……」

「ありがとう、パピーちゃん。でも、ぼくたち、もう帰れないかもしれないよ」

パピーちゃんがふり返ると、そこには穴がありませんでした。

「ケンチャ、ここはどこなの？」

「ぼくにもわからないよ」

スーパーロボットのケンチャにはGPS[注1]が組みこまれているのです

が、穴をとおりぬけたときのショックのせいでしょうか、うまく働かなくなっていました。
　風車が回っているところを見ると、そこは風力発電の施設のようでしたが、ケンチャには見おぼえのない場所です。
　穴に落ちてからポンッ！　とこちらがわに来るまで、ケンチャの計測では約133ミリ秒[注2]でした。空が明るくて、こちらがわは昼間のようです。もしかしたら地球の反対がわかもしれません。そんな遠いところに一瞬で来てしまったのだとわかって、ケンチャは不安になりました。
　いっぽう、あっちゃんこは「明るい！　明るい！」とはしゃぎながら、ケンチャとパピーちゃんのまわりを、ぐるぐると走っていました。

[注1]……GPS（Global Positioning System；全地球測位システム）は、人工衛星を使って自分がいる場所を測るシステムで、カー・ナビゲーション・システムなどに使われています。
[注2]……1ミリ秒は1秒の1000分の1です。

①-② インターネットで助かった

つながっていた

　しばらく悩んでいたようすのケンチャが突然、声をあげました。
「あっ、ここはインターネットにつながっているよ」
　ケンチャの体内のアンテナが無線LAN[注3]の電波をキャッチしたのです。ケンチャはさっそく、あっちゃんこのうちに置いてあるビデオ電話をよびだしました。
　呼出音のあとに、カチッという音がして、あっちゃんこのお母さんの姿がケンチャのおなかの画面に映しだされました。
「あっちゃん、だいじょうぶ？」
　そう、あっちゃんこは、ほんとうは「あっちゃん」なのですけれど、ちっちゃいから自分のことを「あっちゃんこ」とよんでいるのです。
　あっちゃんこが穴に落ちたとき、家にいたお母さんは、外でパピーちゃんがほえる声を聞いて、あっちゃんこたちの身になにかが起こったことに気づいていました。
「あ、ママだ！」
　お母さんの声を聞いて、あっちゃんこがケンチャのところにかけよってきました。
「あっちゃん、だいじょうぶ？」
「うん、あっちゃんこはね、平気だよ」
　それを聞いて、お母さんは安心したようでした。
「ケンチャ、みんなは、いま、どこにいるの？」
　GPSがこわれていて、ケンチャにもわかりません。そのことをお母さんに伝えると、お母さんはビデオ電話を操作して、なにか書きとめているようでした。
「こっちでも調べてみるから、ケンチャ、そのあいだ、あっちゃんとパピーちゃんのことをよろしくね」

念のため、あっちゃんこのお母さんとケンチャは、いつものようにたがいのプレゼンスがわかるようにしました[注4]。これで、なにか起こっても、すぐに連絡をとりあうことができます。

　あっちゃんこは、お母さんの顔も見られたし、声も聞けたし、なんだか遠くにやってきた感じがしませんでした。

遠いけど、つながっている

　「ねえ、ケンチャ、ここは、ほんとうは、おうちの近くじゃないの？だってさ、いつもみたいに、ケンチャのおなかの画面でママとお話できたよ」

　「うーん、でもね、ぼくたちは遠いところに来てしまったんだよ。もしかしたら、地球の反対がわかもしれないんだ。インターネットにつながっているから、いつもみたいにママと話せたんだよ」

　「遠くに来てもインターネットにつながるの!?」

　あっちゃんこには、地球の大きさはいまひとつよくわかりません。でも、いつも野原で遊んでいたとき、ケンチャのおなかの画面からお母さんがごはんができたことを知らせてくれたり、仕事ででかけているお母さんからメールが届いたり、そういうことがあっちゃんこにとってのイ

[注3]……無線は電波を利用する通信手段のことです。LAN（Local Area Network）は、コンピュータどうしがつながったネットワークだと思ってください。インターネットは、たくさんのLANがたがいにつながったものなので、インターネットとつながるためには、まずどこかのLANにつながっている必要があります。

[注4]……プレゼンス（presence；存在していること）というのは、ある人がインターネットを使ったコミュニケーションのシステムに、いま、参加しているのか、参加しているとすれば、どのような状況なのか（話しかけてもよいのか、いそがしいのか、ちょっと席をはずしているのか、でかけているのか、など）ということです。

　インターネットで文字などを送って会話することをチャットといいますが、プレゼンスを送りあいながらチャットをすると、たがいの状況がわかり、コミュニケーションをとりやすいことが、これまでの経験の蓄積からわかってきました。

ンターネットでした。

　家のなかで、色とりどりのひもでパソコンやビデオ電話につながっていたり、あっちゃんこにはいまだその正体がわからない電波というのを使って、ケンチャとつながっている。あっちゃんこにとって、インターネットは、そんな漠然としたイメージでした。遠くに来たのにインターネットでうちとつながっているというのが、あっちゃんこにとっては不思議な感じがしました。

　あっちゃんこの頭のうえに少しずつ「？」マークが増えてきたころ、ケンチャが「あっ」と声をあげました。
「あっちゃんこ、ママからメールが届いたよ」
　あっちゃんこたちのいる場所を調べるあいまに書いてくれたのでしょう。ケンチャのおなかの画面にメールの文面が映しだされました。

　　あっちゃん
　　ママです。
　　せっかくとおいところにきたのだから、
　　たくさんたくさん、いろんなことをみて、
　　たくさんたくさん、あそんでいらっしゃい。
　　──ママより

　お母さんから届いたメールを読んで、あっちゃんこだけでなく、ケンチャやパピーちゃんも勇気づけられました。

①-③　探検隊の結成

場所がわからないけど、つながっている

　お母さんからのメールを読んで、あっちゃんこはうれしくなりました。
「あっちゃんこはね、たくさん遊ぶよ。たくさん遊んだら、ママ、む

かえに来てくれるよね」

「ママにも、ぼくらがどこにいるかは、わからないんだよ」

「でも、メールが届いたよ！　郵便屋さんだって、あっちゃんこがどこにいるかわからなければ、お手紙を届けられないじゃない！」

でも、お母さんも、あっちゃんこたちが来た場所がどこか、知っているわけではありません。あっちゃんこのメールアドレスあてにメールを送って、それをケンチャがメールサーバというコンピュータから引きだしただけなのだと、ケンチャはあっちゃんこに説明しました。

「んがも！」

あっちゃんこは、びっくりしたときや不思議に感じたとき、よく、こんなすっとんきょうな声をあげます。

探検しよう!

あっちゃんこは、このとき、ほんとうに不思議に感じていました。いる場所がわからないのに、手紙が届くなんて、不思議ではないですか。

不思議だと思ったら、すぐに探検。それが、あっちゃんこのモットーです。あっちゃんこは右手をあげて、探検隊の結成を宣言しました。

「インターネットの不思議、探検隊をはじめまあす！」

ケンチャとパピーちゃんは、びっくりしてあっちゃんこのほうを見ました。

「隊長はあっちゃんこだよ。隊員はケンチャとパピーちゃんだからね」

どうすれば、家に帰ることができるのか、その方法を考えていたケンチャは、あっちゃんこの探検隊宣言を聞いて、しばらくポカンとしていました。

● 純ちゃんコラム

災害とインターネットの話

I Am Alive（わたしは生きています）

　この物語のなかで、あっちゃんこたちが穴に落ちてしまったことは、言ってみれば災害です。

　災害が起きたときには、家族の安否を確認できることがとてもたいせつです。物語のなかで、あっちゃんこがケンチャの機転でお母さんと連絡がとれたように、インターネットは、そういうことの役にも立つことがわかってきています。

　最初は、1995年の阪神淡路大震災のときに、インターネットが役に立ちました。あのときは、自分の親戚や友だちが神戸にいるけど、だいじょうぶかなと、すごくたくさんの人びとが心配しました。

　けれども、テレビでは被害を受けた人びとの名前は流れますが、「わたしは元気だよ」という情報は流せません。ひとりひとりがだいじょうぶだという情報を伝えられるメディアがなかったのです。

　「わたしは元気だよ」というのは、その人じしんが発信する情報です。インターネットを使うと、そういう情報を多くの人に伝えることができます。あのころ、すでに、一部の人びとはインターネットを使っていました。そして、自分は無事だという情報を、その人たちが、自主的にみんなに伝えたのです。そうやって、彼は無事、彼女は無事という情報が伝わりました。

　わたしたちは、この経験をとおして、災害のときに個人のメッセージをいかすことがとてもたいせつだと感じたので、そのためのシステムをつくり、IAA（I Am Alive；わたしは生きています）と名づけました。IAA［注5］は、自分は無事なのか、ケガをしているかなどの情報を、そのひと本人がインターネットで登録しておくと、ほかの人がそれを見ることができるものです。2003年のイラク戦争のときにも使われましたが、いちばんもとのシステムをつくったのは、そういう背景があったのです。

しぶといインターネット

　このように、災害が起こったときなどにも、インターネットは役に立つのですが、なぜかというと、最後までしぶとくつながり続けるということでは、インターネットにかなうものはないからです。1991年の湾岸戦争のときにも、アメリカ軍で、ほかの通信手段が使えなくなったなかで、最後まで残ったのは、インターネットを使った通信でした。

　湾岸戦争のころはインターネットはまだまだ普及しておらず、知られていませんでした。そして、インターネットが通信手段としてとても有効なことに気づいたアメリカの軍部はあわてて、「インターネットの技術は軍事物資だから、ほかの国に輸出しないようにしろ」という指示をだしました。インターネットはアメリカのものだ、という思いこみからでた指示でしたが、インターネットを使うみんなが軍部の人たちに働きかけ、「インターネットはアメリカの所有物ではありませんよ、世界で使われているんですよ」と説明して、その誤解を解きました。それでけっきょく、輸出を規制しろという指示は取りさげられたのですが、そんなかんちがいが起こったくらい、インターネットは強い、しぶとさをもっていたということなのです。

　インターネットでは、どのような通信経路を使うかは気にしません。どこかが不通になっても、自動的にべつのところを経由して、目的地に着くことができます。

　わたしたちは、ひとつの路線で電車が止まっても、ほとんどの場合、べつの路線を使って学校に、会社に着けるでしょう。鉄道が発達している日本に住んでいる場合は、どこかで事故があっても、多少遅れるかもしれないけれど、電車をじょうずに乗りかえて目的地に着けます。同じように、インターネットでは、多少遅れても、情報は目的地にたどり着けるのです。

　このようなしぶとさをもつインターネットは、災害時にかぎらず、さまざまな場面で人間の生活をささえる基盤として発展してきました。その仕組みを見ていこうというのが、この本です。

　さあ、読者のみなさんも、あっちゃんこたちといっしょに、インターネットの不思議の探検にでかけましょう。

■［注5］……http://www.iaa-alliance.net/

第2章 デジタルの不思議

②-① デジタルってなに？　食べられるの？

探検の入り口で

　探検といっても、インターネットは目に見えるわけではありません。探検のしかたがわからないあっちゃんこは、とりあえずケンチャに聞いてみました。
　「あのね、ケンチャ。インターネットはどこから探検すればいいの？」
　「うーん、そうだね……」
　突然、聞かれて、ケンチャもこまりました。
　「やっぱり、デジタルということからかなあ」
　「デジタル？　デジタルってなに？　食べられるの？」
　「ううん、食べものじゃないよ。デジタルというのは、情報を数値で表すことなんだ」
　数値で表された情報を自由にやりとりできるのが、インターネットなのでした。
　「ジョーホー？　スーチ？」
　あっちゃんこは、ポカンとなってしまいました。このままでは、頭のうえの「？」マークがどんどん増えて、また「んがも！」となってしまいます。
　「数値というのは、数のことだよ」
　「あっちゃんこ、10まで数えられるよ」
　「うーん、どうやって説明しようかなあ」
　すると、パピーちゃんが提案をしました。
　「ボク、ほえるの。その回数を数えるの」
　パピーちゃんは、ほえる回数で算数の問題に答える犬をテレビで観たのを思い出したのです。
　「それはいいアイデアだね！」

パピーちゃん大活躍(かつやく)

　パピーちゃんが1回ほえたら「1」、2回ほえたら「2」というように、ほえる回数で数を表すとしたらそのままです。でも、数と意味を結(むす)びつけることで、もっといろんな表現(ひょうげん)ができるようになります。

　「そしたらね、パピーちゃんが1回ほえたら『はい』で、2回ほえたら『いいえ』だよ」

　ケンチャが言うと、あっちゃんこは少しワクワクしてきました。

　「じゃあ、ぼくが質問(しつもん)するから、パピーちゃんは答えてね。パピーちゃんは、あっちゃんこのことが好(す)きですか？」

　「ワン！」

　あっちゃんこが笑顔(えがお)になりました。

　「1回だから『はい』だよ。パピーちゃんは、あっちゃんこのことが好(す)きなんだよ！」

　「じゃあ、つぎだよ。パピーちゃんは、遠いところに来て心細いですか？」

　「ワンワン！」

　「2回だから『いいえ』だね。パピーちゃんは、あっちゃんこやケンチャといるから平気なんだ！」

　「はい」と「いいえ」だけでなく、数によっていろんなことを表すこ

とができます。
「こんどは、ひらがなを表してみるよ。ひらがなのひとつひとつに、パピーちゃんがほえる回数をあてはめるんだ。『あ』は1回、『い』は2回みたいにね」
「あっちゃんこ、10までしか数えられない……」
ひらがなは10個より多いことを、あっちゃんこは知っていました。
「そしたらね、こうしてみようよ」
ケンチャのおなかの画面に表があらわれました[注1]。

10	9	8	7	6	5	4	3	2	1	
わ	ら	や	ま	は	な	た	さ	か	あ	1
を	り	ゆ	み	ひ	に	ち	し	き	い	2
ん	る	よ	む	ふ	ぬ	つ	す	く	う	3
	れ		め	へ	ね	て	せ	け	え	4
	ろ		も	ほ	の	と	そ	こ	お	5

「パピーちゃん、横の数字の数だけほえてから、たての数字の数だけほえるんだよ」
「わかったの」
「では、いくよ。ケンチャの『け』は？」
「ワンワン！　ワンワンワンワン！」
あっちゃんこは少しのあいだ考えていましたが、やがて、わかった、という顔になりました。
「あっちゃんこ、わかったよ。最初に2回ほえたから、ここだね」
あっちゃんこは、そう言うと、「か」行のところを指でなぞりました。
「つぎに4回ほえたから、かきくけこの『け』なんだね！」
「うん、そうだよ、あっちゃんこ。じゃあ、これはわかるかな？」
ケンチャはパピーちゃんに耳うちしました。パピーちゃんはうなずい

て、つぎのようにほえました。
「ワンワンワンワンワンワンワンワンワンワン！　ワンワンワン！」
「ケンチャの『ん』！」
「正解です。つぎは、この問題だよ」
「ワンワンワンワン！　ワンワン！」
さて、この物語を読んでいるみなさんには、わかったかな。

なんでも数で表しちゃえ！

「ひらがなやカタカナ、アルファベットや漢字はぜんぶ、何個あるか数えられるよね。だから、デジタルにできるんだよ」

ケンチャの言うように、ひらがなやカタカナなどの文字は、ぜんぶで何個あるか、数えられます。数えられるということは、「あ」は1番、「い」は2番のようにして、順番に番号をふることができるということです。番号は、文字を区別するためにふっているので、じつは1番からはじめなくてもよいし、とちゅうで番号がとんでもかまいません。さっきパピーちゃんがふたつの数をほえてひとつの文字を表したように、1と1で「あ」なのだから11番、1と2で「い」なのだから12番、……1と5で「お」なのだから15番、2と1で「か」なのだから21番、などのようにふってもよいのです。番号によって文字を区別できるのですから、番号をよばれたら、どの文字のことを言われているかわかります。つまり、文字を番号という数で表したことになるのです。

「それに、さっきママと話したときみたいな、ビデオ電話の画面や声も、デジタルにできる、つまり、数で表すことができるんだ」

[注1]……もし、みなさんが携帯電話を持っていたら、この表とくらべてみてください。携帯電話で文字を入力するときと、数の使い方が同じになっています。たとえば、携帯電話でケンチャの「け」の字を入力するときは、「2」のボタンを4回押します。みなさんも、知らず知らずのうちに、数を使ってひらがなを表していたんですね。

「んがも！」

　あっちゃんこはさすがにおどろきました。ビデオ電話に映ったお母さんの姿と、パピーちゃんのほえる回数が結びつかなかったのです。
　でも、映像や音も、くふうをすることで、数えられるようになります。そのことを説明するために、ケンチャは目に内蔵されているケンチャ・デジカメでパピーちゃんを写真に撮って、おなかの画面にその画像を映しだしました。
　「あ、パピーちゃんだ。よく撮れてるね」
　あっちゃんこは、ケンチャのおなかの画面をのぞきこみました。
　「いいかい、ズームアーップ！」
　ケンチャがさけぶと、みるみるうちにパピーちゃんの写真が拡大されて、なめらかだった輪郭が、だんだんギザギザになってきました。
　「あれれ、パピーちゃん、ギザギザなの？」
　「じつは、ケンチャ・デジカメの写真は、ぼくが見たものを、とっても細かいマス目に区切って記録しているんだ。そのマス目のひとつひとつを、ピクセル[注2]とよぶんだよ。そのピクセルごとに、色をひとつだ

け決めて、記録しているんだ。大写しにすると、ピクセルの四角い形がわかるようになって、ギザギザに見えてくるんだよ」

「でも、色は数なの？」

あっちゃんこは、首をかしげて言いました。

「パピーちゃんがいくつほえたら何色なの？」

「すごいよ、あっちゃんこ。あっちゃんこは、もうきっとわかってるんだね。パピーちゃんがいくつほえたら何色って決めればいいんだよ」

たとえば16色を使うとしたら、1から16まで、色に番号をふります。もっとたくさんの色を使う場合も同じで、たとえば1670万色を使いわけたいなら、1から1670万まで、色に番号をふるのです[注3]。

「映像や音を細かく区切って、区切った範囲ごとに光の強さや音の大きさなどの段階を数えるんだ。たとえば、ケンチャ・デジカメでは、ぼくが見たものをたくさんのピクセルに区切って、ピクセルごとに赤、緑、青の光の強さを細かな段階に分けて数えているよ。そうやって、1個、2個と数えられるものだけでなくて、ふつうだったら数えられない、映像や音みたいなものまで、いろいろなものを数で表すことができるんだ

[注2]……ピクセル（pixel；画素）ということばの意味は、「絵（picture）」の「これ以上分解できない単位（element）」です。みなさんも、デジタル・カメラの能力を表す単位として、「メガピクセル」というのを聞いたことがあるでしょう。メガというのは、100万のことです。たて1000ピクセル、横1000ピクセルの画面があったとすると、1000×1000で、100万個のピクセルがあることになります。というわけで、1メガピクセルの画像ということになるのです。

[注3]……2003年現在のコンピュータでよく用いられている方法では、じっさいに約1670万色に番号をつけて区別しています。しかし、数が多いので、パピーちゃんがひらがなをふたつの数の組みあわせで表したように、色は3つの数の組みあわせで表します。「光の三原色」とよばれる赤、緑、青をいろいろな割合で混ぜあわせると、さまざまな色になります。赤、緑、青のそれぞれの明るさを0（使わない）から255（もっとも明るい）までの256段階に分けるとすると、たとえば赤が255の明るさ、緑が255の明るさ、青が0の明るさで光を混ぜることで、黄色をつくれます。赤、緑、青のそれぞれの光の強さを256段階に分けることで、256×256×256＝約1670万種類の色を区別しているのです。

よ[注4]」

　ケンチャのおなかに映しだされたパピーちゃんの写真も、ケンチャのなかではそうやって数で表されているのでした。たくさんのピクセルを使って、たくさんの段階に分けた色で表現しているので、ちょっと見ただけでは、デジタルかどうかさえわからないのです。

コンピュータは数を数える機械

　「でも……」
　あっちゃんこは、じっさいのパピーちゃんとケンチャのおなかに映ったパピーちゃんを見くらべて、心配そうにしています。
　「パピーちゃん、そんなにいっぱいほえたら、たいへんなの。かわいそう……」
　「ありがとう、あっちゃんこ。でも、ボク、がんばるの」
　パピーちゃんはそう言いますが、ケンチャ・デジカメで撮った、数メガピクセルの画像のピクセルひとつひとつについて、もしパピーちゃんが赤、緑、青の光の強さを表す3つの数をほえるとしたら、たいへんなことになってしまいます。ひとつの数をほえるのに3秒かかったとすると、不眠不休でほえ続けても、100万ピクセルの内容をほえ終わるのに100日以上かかってしまうのです。
　「じっさいに数を数えるのはコンピュータだから、心配しなくてもだいじょうぶだよ。コンピュータは、もともと計算機という意味で、数をあつかうのは得意なんだ。計算機というのは、数を数える機械のことだよ」

[注4]……現在のDVDやCDでは、これらのことをできるだけ細かくすることで、ケンチャ・デジカメでいうギザギザがあることが、人間に気づかれないようにしています。たとえばCDでは、1秒の44100分の1という細かな時間ごとに、音の大きさを65536段階に分けて数えています。
[注5]……ケンチャは、「いまからパピーちゃんがさんかいほえるからね」と言ったのです。

ケンチャがそう言うのを聞いて、あっちゃんこことパピーちゃんはちょっと安心しました。

②-② デジタルは正確に伝わる

デジタルはノイズに強い

　ちょっと安心したので、あっちゃんこは反撃にでることにしました。さっきから、どうも納得がいかなかったのです。
　「でも、数えるのはめんどうくさいよ。パピーちゃんだって、ほえなくてもしゃべれば、お話できるもん。たまにだったら、おもしろいかもしれないけど」
　最後の「たまにだったら……」は、さっきの「はい」「いいえ」やひらがなをあてるのがゲームみたいでおもしろかったので、つけくわえたのでした。
　「もちろん、なんでも数にして表すのには、理由があるんだよ」
　ケンチャはそのことについて説明するために、みんなで塔のすぐそばに行くことを提案しました。塔のうえでは風車がヒュンヒュン大きな音をたてて回っています。その真下でケンチャはあっちゃんこになにか言いましたが、あっちゃんこにはよく聞きとれませんでした。
　「……からパ……ちゃ…がさ…かい…え…から…[注5]」
　「えっ、なに？　ケンチャ、いまなんて言ったの？」
　それから、パピーちゃんがワンワンワン！　とほえるのが、かすかに聞こえました。
　塔から離れると、ケンチャがあっちゃんこに聞きました。
　「あっちゃんこ、ぼくがさっきなんて言ったか聞こえた？」
　「ううん、よく聞こえなかった」
　「パピーちゃんは何回ほえた？」
　「えっとね、3回」

25

まわりが多少うるさくて、話している声は聞きとりにくくても、パピーちゃんが何回ほえたかくらいは正確にわかります。このように、デジタルにはノイズ（雑音）に強いという性質があるのです。

でも、まちがって伝わったら
「あっちゃんこは、聞きまちがえることがあるよね」
「ないもん」
　ケンチャはウグッとことばにつまってしまいましたが、気をとりなおして言いなおしました。
「ケンチャは、聞きまちがえることがあります」
「へえー」
「そんなとき、ぼくはどうしたら、自分が聞きまちがえたことがわかるかな？」
　いくらデジタルはノイズに強いといっても、やっぱりまちがって伝わってしまうことはあります。そんなとき、どうすれば、まちがったことがわかるでしょうか。
「うんとね、なんて聞こえたか、ケンチャが言えばいいんだよ。もし、聞きまちがってたら、みんなが『ちがうよ』って言うからわかるよ」
　ほんとうは、そうやってあっちゃんこがよく聞きまちがい、言いまち

がいを指摘されていたのです。
「うん、ぼくらが会話をしているときなら、そういうふうにすれば、まちがったってわかるよね。でも、インターネットみたいに、ネットワークを使って遠くの相手と話しているときは、それではうまくいかないことがあるんだ」
　ネットワークで情報が伝わる仕組みは、ファクシミリに似ています。情報が伝わるということは、コピーされるということです。なにかを書いて、ファクシミリで送っても、もとの紙はそのままですよね。情報が向こうがわに届いて、向こうがわの紙にコピーされるのがファクシミリの仕組みです。ネットワークでも、情報が相手のところにコピーされるのです。
　では、情報がコピーされるとき、まちがいが起こったら、どうなるのでしょうか。ケンチャはそのことを言っているのでした。
　コピーされた情報がまちがっていないか、たしかめるために、あっちゃんこの言うように、その情報を送り返したとしましょう。情報を送り返すときにも、その情報はコピーされるので、まちがいが起こる可能性があります。
　「たとえば、あっちゃんこのママが、お仕事先から、おうちで留守番しているあっちゃんこに、ファクシミリでこう書いて送ったとするよね」

　あっちゃん
　おやつにカキをたべてね。

　ケンチャのおなかの画面に、ファクシミリのメッセージがうかびあがりました。
　「あっちゃんこは、それを正しく受けとって、受けとったものを送り返します。でも、そのときに（たぶん、ゴミがはさまったのでしょう）まちがいが起きて、こんなふうになってしまったとします」

あっちゃん
　おやつにカギをたべてね。

　あっちゃんこはキャッキャと笑いました。
「そしたら、あっちゃんこがまちがって受けとったと思ったママは、お仕事をとちゅうでやめて、あわてて帰ってくるかもしれないよ」
　あっちゃんこは、お母さんが早く帰ってくるのはうれしいけど、お仕事のじゃまになったらたいへんだと思いました。
　このように、受けとったものをそのまま送り返す方法では、受けとるときにほんとうにまちがいが起こったかどうかはわからないのです。そもそも、いちいちファクシミリを送り返していたのでは、電話代がかかってしまうように、これは効率の悪い方法だと言えます。

あたりまえの内容をいっしょに送る
「じゃあ、どうすればいいの？」
「受けとったら、受けとった内容がまちがってないかがわかればいいんだけど、そのためには、たとえば、さっきの例だと、こうするといいんだよ」
　ケンチャのおなかの画面に、新しいメッセージがうかびあがりました。

　あっちゃん
　おやつに、タネのあるカキをたべてね。

「こうしておけば、もし、カキがカギにまちがって伝えられたとしても、あっちゃんこにはまちがって伝わったことがわかるんだよ」

たしかに、タネのあるカギなんて、聞いたことがありませんね。

「柿に種があるのはあたりまえだよね。でも、あたりまえのことをいっしょに書いておけば、どこかがまちがって伝わっても、内容があたりまえでなくなるので、まちがったことがわかるんだよ[注6]」

「そっかあ」

あっちゃんこも納得です。

「でも、ケンチャ、デジタルのお話をしてたはずなの……」

パピーちゃんには、お母さんからのファクシミリのメッセージとデジタルのつながりがわかりませんでした。

デジタルはまちがったらわかる

「デジタルだと、なんでも数で表すよね。数を使って、あたりまえのことをいっしょに伝える方法をひとつ決めてしまえば、その方法は、どんな内容を送るときでも使えるんだよ」

ケンチャはそう言うと、なにかよい例がないか、あたりを見まわしました。

「そうだ、あっちゃんこ、けろんぱんを持ってない？」

「ええっ？」

けろんぱんは、あっちゃんこの大好きな、カエルの形をした菓子パンです。あっちゃんこはポケットをかくすようにしました。

「食べないから、だいじょうぶだよ」

ケンチャの食事がエネルギー注入だということは、あっちゃんこも

[注6]……このように、あたりまえで、わざわざ書かなくてもわかることをいっしょに送ることで、まちがっていないかわかるようにしている仕組みが、インターネットではさまざまな場面で使われています。

知っていました。だから、ケンチャを信用して、あっちゃんこは、ポケットのなかのけろんぱんを渡すことにしました。
「ほら、見てごらん」
ケンチャが指さした先には、バーコードがありました。みなさんも知っているとおり、お菓子のパッケージにもバーコードがついています。
「バーコードも、番号で商品を表しているよ。だからデジタルの仲間なんだ」
ケンチャは、腕のケンチャ・マジックハンドをバーコード・リーダに交換して、バーコードのうえをスッとなぞりました。ピッという音がします。
「いまのは、バーコードが正しく読めたということだよ。でも、バーコードは、ときどき、なかなか正しく読めないことがあるよね」
あっちゃんこも、お母さんといっしょにスーパーにでかけたとき、なかなかピッと鳴らないので、レジのお姉さんやお兄さんが苦戦するのに何度かでくわしたことがあります。
「どうして、正しく読めたか、正しく読めなかったかがわかるかというと、じつはバーコードにはよけいな数がひとつ、ついているんだよ」
日本ではJAN（Japanese Article Number；日本商品番号）コードというものを使っていますが、これは13桁の数で、最後の数はチェック・ディジット[注7]とよばれます。最初の12桁までの数を使って、ある決まった計算をして、その結果を13桁めの数にします。バーコード・リーダがバーコードをなんらかの理由でまちがって読むと、最初の12桁までを使って計算した値と、13桁めがあわなくなるので、まちがって読んだことがわかるのです。
「デジタルにすると、どんな内容にも、チェックするための数をいっしょにつけて送ることができるんだ。そして、まちがっ

JANコード（見本）
出典：（財）流通システム開発センター

4 569951 116179

↑
チェック・ディジット

た内容が届いたことがわかったら、送りなおしてもらえばいいんだよ」

②-③ デジタルは効率よく伝わる

デジタルは、なんでも同じようにあつかえる

あっちゃんこにも、なんでも数で表すことの特長がなんとなくわかってきました。

「いま説明したみたいな、数を使った仕組みをなにか考えたとするよね。すると、デジタルはなんでも数で表すから、思いついたその仕組みはなんにでも使えるんだ」

もちろん、あとで出てくるように、たとえば動画（ビデオのように動く画像）の圧縮のしかたなどは、動画に特有な方法です。でも、そういうもの以外では、なんにでも共通に使える仕組みがたくさんあるのです。

「インターネットだって、数を送る仕組みをひとつだけつくっておいて、写真でも、映画でも、音楽でも、なんでもそのひとつの仕組みを使って送るようにしているんだよ」

インターネットは、道路のようなものです。道路のうえを、数で表された情報を積んだトラックがたくさん行きかっているようなものです。メール用の道路、映画用の道路、音楽用の道路、といった区別はありません。道路をみんなが共用するので、専用の道をつくるよりも安あがりで、効率がよいのです。

デジタルは圧縮できる

効率をよくするためには、データを圧縮して、送る量を小さくすることもたいせつです。そのためにも、情報を数で表すことは役に立ちます。

「あっちゃんこは、オオオニバスって知ってるかな？」

■［注7］……ディジット（digit）は数字のことで、デジタル（digital）の語源です。

「ううん、知らないよ」
「水草の一種だよ。あっちゃんこが乗っても沈まないくらいの、とっても大きなハスなんだ」
「へえー」
　さて、このハスの名前を、パピーちゃんがほえて伝えることを考えてみましょう。

　　ワン！　ワンワンワンワンワン！（お）
　　ワン！　ワンワンワンワンワン！（お）
　　ワン！　ワンワンワンワンワン！（お）
　　　　　　：

「ボク、おんなじことを何度もほえてる気がするの……」
　そこで、ケンチャがつぎのように提案しました。
「パピーちゃん、こんなルールにしてみようよ。ほえるのを1回休んだら、その直前にほえた文字をくり返すという意味にして、そのつぎに、くり返す回数をほえるようにしてごらん」
「やってみるの……」

ワン！　ワンワンワンワンワン！（お）
　〈〈1回休み〉〉（くり返すよ）
　ワンワン！（あと 2回だよ）

「ずいぶんほえる回数が減ったの！」
　このように、数で表すルールをくふうして、同じ情報でも、より短く表せるようにするのが「圧縮」の考え方です。
　ケンチャはパピーちゃんに耳うちして、あっちゃんこに問題をだしました。

　ワンワン！　ワン！
　ワンワンワンワン！　ワン！
　〈〈1回休み〉〉
　ワンワン！
　ワンワン！　ワンワン！

　さて、あっちゃんこは答えられたでしょうか。みなさんも答えられるか、挑戦してみてくださいね。

ビデオだって圧縮できる

　ビデオをデジタル化するときも、同じような考え方でデータを圧縮できます。
　そのことを説明するために、ケンチャはパピーちゃんに、ほうり投げたケンチャ・ボールを追いかけてもらって、そのようすをケンチャ・ビデオカメラで撮影しました。
　ケンチャのおなかの画面に、パピーちゃんの動きがコマ送りで映しだされました。
「ほら、あっちゃんこ、パピーちゃん、見てごらん」

ケンチャは自分のおなかを指さしながら説明しました。
「パピーちゃんは動いているけど、その背景はどのコマも同じだよね」
「うん、ケンチャがピタッととまって撮影したから、後ろの景色は動かないの」
　ケンチャ・ビデオカメラに手ブレはありません。
「背景は、だから、いちど送ってしまえば、あとは受けとったがわで同じのを使えばいいので、もう送らなくてもいいんだ。そうやって、送るデータの量を節約できるんだよ」
　ケンチャ・デジカメのときに説明したように、最初に画面を細かなピクセルに区切って記録しているから、そんなことができるのでした。あっちゃんこは、はじめはなんでも数にするのはめんどうくさいと思っていましたが、デジタルにすることで、あつかうデータの量はかえって小さくできるということが、少しわかった気がしました。

上の2コマ目と3コマ目を重ねたもの。パピーちゃんは動いているけれど、その後ろの景色は変わっていません。その部分は同じものを使えばよいので、もう送らなくてもよいのです。

●純ちゃんコラム

人間とデジタルの話

デジタルの挑戦

　デジタルというのは、わたしたちが知っていること、感じていること、つまり知識や感覚を「数」で表せるかな、ということへの挑戦です。

　わたしたちが感じていることを数で表します。考えていることや、伝えたいことも、いったん、数で表します。CDやデジタル・カメラは、まさにこのことを行なっています。音楽や写真を数にして保存したり、伝えたりします。そして聴いたり、見たりしたいときに、また音楽や写真にもどしているのです。

　数であつかうと、なにもかも同じように数になります。もとがビデオでも、音楽でも、並べた数を見ると区別がつきません。マルチメディアということばがありますが、すべてのメディア［注8］をいっしょにあつかえるのです。インターネットは、そこにいちばん強みがあります。

　わたしたちの感覚とか、考えることを数で表すことの利点は、ものすごく効率的にやりとりができるということです。同じ内容を伝えるにしても、圧縮することによって、パピーちゃんがほえる回数を少なくしたように、伝えるためのデータの大きさを小さくして、届けることができます。

デジタルは、人間がもともともっている力

　また、デジタルでは、算数としてギリシャの時代から人間が培ってきたことが、ぜ

［注8］……メディアというのは、もともとは媒体という意味で、人と人のあいだにあって、情報を伝える役割を担っています。新聞やテレビは情報を伝える媒体なのでメディアとよびます。また、もう少し広くとらえて、文字はメディアであるとか、音はメディアであるとか、映像はメディアである、などのように言います。

んぶうまく使えます。たとえば、映像を数にしたとします。その数のぜんぶから、たとえば1を引いて送ると、受けとったがわではそのままでは映像を再現できません。ですが、「これは1引いてあるんだ」とわかっていれば、1を足して、もとにもどすことができます。1を足すんだ、という鍵を知っている人だけが映像を観られるのです。これは、シーザー暗号［注9］とよばれる基本的な暗号です。暗号を使うと、あるメッセージを送るときに、それを渡したい人だけに届けることができます。だれになにを渡したいか、コミュニケーションをコントロールできるのです。

　このように、人間が知っていることを数で表して、足し算や引き算などの演算をするという考え方は、シーザー暗号というくらいですから、紀元前から人間の知恵としてあったと言えます。知識や感覚を数にして表すというのは、大昔から人間がもっている力なのです。コンピュータが出てきて、人間はデジタル・テクノロジーをじょうずに使えるようになりましたが、それは人間がそもそももっている力でした。たまたま、それをものすごい勢いでささえてくれるコンピュータという技術がでてきて、デジタルをうまく使えるようになったということなのです。

■［注9］……シーザー暗号については、127ページでくわしく説明しています。シーザーは、紀元前100年ころに生まれた、ローマの武将・政治家です。

第3章
コミュニケーションの
不思議

③-① ヒトとイヌ、ことばは通じる？

いつも、つながっている

　あっちゃんこたちは、そのまま風力発電の施設にいてもしかたがないので、歩きだしました。とりあえずの目標は、ちょっと向こうに見える町です。ケンチャの計測では、あっちゃんことパピーちゃんにも十分歩いて行ける距離でした。

　ケンチャの心配は、発電施設から離れたら無線LANが使えなくなって、インターネットとつながらなくなってしまうことです。もしそうなると、あっちゃんこのお母さんとの連絡ができなくなるので、ケンチャはとくに気をつけて、無線LANの電波がとぎれたら、そこで進むのをやめるつもりでした。ところが、興味深いことに、ひとつの無線LANの電波が届く範囲をこえそうになると、すぐにべつの無線LANの電波がキャッチできるのです。そうして3人組は、インターネットとのつながりがとぎれることなく、どんどん歩いていけるのでした。

空気のように

　「この国は、よっぽどインターネットが普及しているんだね。まるで、インターネットが空気みたいになっているよ」
　「インターネットが空気？」
　あっちゃんこは、ちょっとびっくりして言いました。
　「どこに行ってもインターネットとつながっている、そのようすをたとえて言ったんだよ」
　ケンチャはそう言ってから、あっ、と気づきました。
　「あっちゃんこ、探検隊のつぎの探検地点が見つかったよ」

あっちゃんことパピーちゃん

　その地点とは、コミュニケーションの不思議でした。

「ほんとう？　どこを探検（たんけん）するの？」

「それはね、あっちゃんことパピーちゃんのお話だよ」

　あっちゃんことパピーちゃんは、この物語の世界では会話ができますが、ほんらいはヒトとイヌなので、少なくとも正確（せいかく）に気持ちや考えを通じあわせることはできません。それは、なぜでしょうか。また、なぜ、この物語の世界では、ふたりは会話ができるのでしょうか。

　そのことについて考えることが、インターネットの仕組みを考えるうえで、とてもたいせつなことだと、ケンチャは思ったのです。というのも、研究所などにあるスーパー・コンピュータから、あっちゃんこの家にあるようなパソコン、さらには携帯電話（けいたい）や、テレビや、ビデオや、冷蔵庫（れいぞうこ）など、もはや外がわから見たらコンピュータが入っているとはわからないようなものまで、インターネットには種類（しゅるい）の異（こと）なるいろいろなコンピュータがつながるからです。

③-② コミュニケーションにはルールがある

コミュニケーションの約束（やくそく）ごと

　デジタルの不思議（ふしぎ）を探検（たんけん）したとき、パピーちゃんのほえる回数がどんな文字を表しているか、ゲームのようにあてっこをしました。そもそも、どういうふうにほえたらどの文字なのか、その約束（やくそく）ごとをみんなが知っていなければ、あてっこはできなかったでしょう。

　「ゲームにはルールがあるよね。パピーちゃんのほえる回数だって、最初（さいしょ）にルールを決めたよ。ルールをつくって、それを両方の人が知っていて、守らなければ、コミュニケーションは成（な）り立たないんだ[注1]」

[注1]……そのような約束（やくそく）ごとを、コンピュータ・ネットワークの用語ではプロトコル（protocol）とよびます。このことばは、もともとは条約（じょうやく）の議定書（ぎていしょ）とか、外交儀礼（がいこうぎれい）のことを意味しています。コンピュータ・ネットワークについて用いられる場合、日本語では「通信規約（つうしんきやく）」とよんでいます。

39

あっちゃんことパピーちゃんはうなずきました。
「ボクはルールどおりにほえたの」
「あっちゃんこも、ルールどおりにあてたんだよ。ルールどおりじゃなかったら、はずれてたよ」
　ゲームでなくても、みなさんがふだん、ことばで会話している場合でも、このようなルールがあることは、重要な前提となっています。たとえば、日本語で会話することを考えてみましょう。相手が日本語を聞こうとしているのに、日本語のルール（すなわち文法）にしたがわずにしゃべったら、話が通じなくなってしまいます。

まず、空気でつながる

「ここで、問題です。あっちゃんことパピーちゃんがお話できるためには、なにが必要ですか？」
　クイズ形式でケンチャが聞きました。
「ことばが必要だよ」
　あっちゃんこが答えると、ケンチャはさらに聞きました。
「じゃあ、ことばが伝わるためには、なにが必要かな？」
　すると、あっちゃんこは考えこんでしまいました。ことばが音だったり、文字だったりするということは、あっちゃんこも知っています。パピーちゃんは字を書いたりできないので、パピーちゃんと話をするときは、たいてい音を使います。でも、音は勝手に伝わっていくみたいです。あっちゃんこは、音が伝わらない世界にいたことがないので、音が伝わるためにはなにが必要か、考えてもわかりませんでした。
　すると、パピーちゃんが助け舟をだしました。
「あのね、空気なの」
「んがも！」

あっちゃんこは、空気のない世界を想像したこともありませんでした。

音の伝え方にもルールがある

　あっちゃんことパピーちゃんが、空気をとおしてつながります。そうすることではじめて、音はふたりのあいだを伝わって、ことばを使って話ができるのです[注2]。

　でも、それには ひとつ、問題があります。

　「音を伝えるためにも、ルールが必要なんだ。というのも、可聴域といって、聴こえる音の高さの範囲が、あっちゃんことパピーちゃんではちがっているんだよ」

　あっちゃんことパピーちゃんは、そのことを初めて知りました。でも、思いあたるふしはあったのです。野原で遊んでいたころ、パピーちゃんが笛の音を聴いて騒ぎだしたことがありました。あっちゃんこには、その音は聴こえなかったので、そのときは、パピーちゃんの気のせいということになったのです。でも、じつは、その笛は犬笛といって、超音波

[注2]……もちろん、水のなかや金属のなかなども音は伝わりますが、あっちゃんことパピーちゃんがふだん会話するのは、空気のなかです。

[注3]をだす笛でした。パピーちゃんには超音波が聴こえるのです。
「もし、パピーちゃんが、人間の耳には聴こえないくらい高い声で話せたとするよね。すると、パピーちゃんにはその声が聴こえるかもしれないけど、あっちゃんこには聴こえないから、会話にならないよね」
　ヒトどうしならほとんど問題にならないのですが、ケンチャの言うように、どのくらいの音の高さでしゃべるか、あらかじめ決めておかなければ、じつは会話は成立しないのです。

ことばでつながる

　空気でつながること、音の伝え方についてあらかじめ決めておくこと、そのふたつができて、はじめてことばでつながることができます。
「でも、ことばでつながるためにも、ルールは必要だよね。何語でしゃべるか、両方の人が決めておかなければ、話は通じないんだ」
　この物語の外の世界では、ヒトとイヌは共通のことばをもっていないので、たがいに聴こえる音でなにか言っていても、その意味がわからないのです。

意味でつながる

　そして最後に、伝えられる意味の問題があります。
「もし、ことばが通じたとしても、たとえば、パピーちゃんが、『どこそこにおいしい骨が埋めてあるよ』という情報を伝えてきたとしたら、あっちゃんこにとっては、たぶん、意味がないよね」
「うん。あっちゃんこ、骨にはべつに興味ないよ」
　それを聞いて、パピーちゃんはちょっとショックでしたが、たがいのちがいを認めあうのが友だちというものです。パピーちゃんの好きなものに、あっちゃんこが興味がなくてもしかたありません。
　でも、たがいのちがいを認めあうのなら、逆にあっちゃんこは、自分に興味がないものをパピーちゃんが好きなことも認めなければなりませ

んね。
　「でも、パピーちゃんが骨が好きだということは知っているよ。それは、パピーちゃんにとってたいせつなことだよ。パピーちゃんにとってたいせつなことは、あっちゃんこにとってもたいせつだよ！」
　あっちゃんこも、あわてて、そうつけ足しました。あっちゃんことパピーちゃんは、大のなかよしなのです。
　たがいに意味があると思う内容を伝えあうのでなければ、コミュニケーションは成立しません。人間どうしのコミュニケーションでいちばん問題なのは、多くの場合、この部分です。

③-③　コミュニケーションには層がある

おしゃべりの3つの層

　ケンチャは言います。
　「おしゃべりが成り立つためには、
　1.音が届くこと。

■［注3］……超音波は、人間の耳に聴こえるよりも高い音のことをいいます。

2.ことばが通じること。

3.たがいに意味があると思うこと。

　これらがぜんぶ、できてないといけないんだ。どれかひとつできなくても、おしゃべりは成り立たないよ」

　ことばが通じるためには、音が耳に届かなければなりません（あるいは、文字が目に見えたり、点字が指先にふれなければなりません）。たがいに意味があると思うためには、ことばが通じなければなりません。このように、これらのことは、ちょうど地層のように重なりあっていると考えられます。それを表で表すと、つぎのようになります。

●おしゃべりの世界、三大層

名前	関係	どんな層か
意味層	↑ 上の層	意味がわかっているかな？
ことば層	↕	ことばが通じているかな？
媒体層	↓ 下の層	音や光が届いているかな？

　下の層でつながらなければ、上の層でつながることはできません。

　このように、コミュニケーションには異なる層があって、それぞれでつながってはじめて成立するものなのです。

下の層は取りかえられる

　「あっちゃんこは、世界にはいろんなことばがあるのを知っているよね」

　「うん、あっちゃんこはしゃべれないけど、ママやケンチャは英語をしゃべれるよ。パピーちゃんはイヌ語をしゃべれるみたいだよ」

　同じ意味を伝えるためには、べつに日本語でなくても、英語でも、通じればよかったりします。また、しゃべらなくても、メールでも筆談でもよかったりします。このように、上の層でつながるためには、下の層

は取りかえることができます。

　下の層を取りかえることで、異なることばを話す人とでも、通訳をとおして会話できたり、耳の聴こえない人と聴こえる人が手話で会話できたりするので、このことはとても重要です。

インターネットという層

　インターネットも、コミュニケーションのための道具なので、いくつかの層に分かれています。そのなかでも、インターネットの性質をいちばんよく表している層を、この本ではインターネット層とよぶことにします。その正体は、この物語を読みすすめると、きっとみなさんにもわかってくると思いますが、それでは、インターネット層でつながるための下の層はどうなっているのでしょうか。

　「インターネットには、光ファイバーでも、LANケーブルでも、無線でも、ADSL[注4]でも、取りかえてつながることができるよ」

　それらの通信手段が、インターネットにとっての下の層です。インターネットの下の層は、デジタルに表された情報を伝えることができれば、なんでもよいのです。

　下の層は取りかえられるので、たとえば、ふだんは光ファイバーを使っているあっちゃんこのうちでは、光ファイバーがなんらかの理由で使えなくなっても、ADSLに切りかえて、インターネットにつながっていることができます。

　「光ファイバーを使うときは、あっちゃんことパピーちゃんがまず、空気でつながったように、光ファイバーでふたつのコンピュータをつなぐんだ」

　ケンチャのおなかの画面に、ふたつのコンピュータの絵がでてきまし

[注4]……ADSL（Asymmetric Digital Subscriber Line；非対称デジタル加入者線）は、電話線をとおして高速に数の情報を送るための仕組みです。日本でもずいぶん、普及しました。

た。そのあいだが、光ファイバーで結ばれます。

「音の伝え方にもルールがあったように、光ファイバーをとおして数を送るためにも、そのためのルールがあるんだよ」

画面には、光ファイバーをとおして数が伝わっていくようすがアニメーションで表示されました。

「インターネットは、この仕組みを使って、世界中に情報を届けることができるんだ」

画面には、たくさんのコンピュータがあらわれて、それぞれが光ファイバーや無線などのいろんな方法でつながりだしました。そのうえにかぶさるように、インターネットの透明な層があらわれました。その層のうえでは、数で表された情報が自由にやりとりされています。

あっちゃんことパピーちゃんは、不思議なものを見るように（事実、不思議だったのです）、そのようすに目をうばわれていました。

ふたたびビデオ電話

そのとき、ケンチャのからだのなかから呼出音が聞こえました。あっちゃんこのお母さんが、ビデオ電話をかけてきたのです。

ケンチャがフンッと力を入れると、カチッと音がして、おなかの画面の映像が、家にいるあっちゃんこのお母さんに切りかわりました。

「あっちゃん、ケンチャ、パピーちゃん。3人のいるだいたいの場所がわかったので伝えます。よく聞いてね」

あっちゃんこのお母さんは、最初にビデオ電話で話したときのケンチャのIPアドレス[注5]をもとに、3人組がいるおおよその位置をわりだしたのでした。

[注5]……IP（Internet Protocol）はインターネット層のプロトコル、すなわち通信の約束ごとのことです。IPアドレスは、インターネットにつながっているコンピュータを区別するための住所のようなもので、やはり数で表されています。

●純ちゃんコラム

IP
アドレスの話

IPアドレスはいくつあるか

　IPアドレスは、基本的には、インターネットのうえで、相手を区別するための住所のようなものです。そのことは、つぎの章であっちゃんこたちがインターネットの仕組みを探検するので、そこでくわしくわかると思います。

　いま、IPアドレスの書き方をふくめた、インターネットでの通信の約束ごとが、IPv4（IP version 4）からIPv6（IP version 6）にうつりかわろうとしています。なぜかというと、IPv4を使っていたのでは、近い将来、IPアドレスが足りなくなることが予想されているからです。

　IPv4でのIPアドレスは、32ビットの数で表すことになっていて、ビットとはなにかということの説明はほかの機会にゆずりますが、約40億個のIPアドレスを使うことができます。この数は、とても多いようでいて、じつは、60億人とも言われる、地球に住む人間のひとりひとりにさえ、アドレスをわりふることができません。そこで、IPv6では128ビットの数を用いることにしました。

　32から128へ、ビットが4倍になったから40億×4個くらいのIPアドレスが使えるかというと、じつはそういう計算にはならなくて、40億を4回かけあわせた、40億×40億×40億×40億個くらいになります。じっさいに計算すると、

340282366920938463463374607431768211456個

という、とてつもない数になります。

　どれくらいとてつもないのか、直観的にわかってもらうための比喩をいろいろ考えたのですが、スケールが大きすぎて、どうしてもイメージがわきにくいので、いまでは「なんにでもアドレスをつけることができる」と言うようにしています。

ドメイン名システムの話

IPアドレスは数なので、じつは、そのままでは人間にとってあつかいにくいという問題があります。たとえば、わたしの研究室のWWW（World Wide Web）のページを見るときに、IPv4でのアドレスで、

203.178.142.133

という数を使ってくれ、と言われても、おぼえられないでしょうし、まちがえてキーを押してしまうかもしれません。また、IPv6でのアドレスで、

3ffe:501:100c:d120:a00:20ff:fe91:b587

という16進法（16で桁があがる数え方）で表された数を使ってくれ、と言われたら、もっとこまるでしょう。ですから、ふだんは人間にわかりやすいように名前をつけて使っています。

たとえば、上のようなIPアドレスに、"www.sfc.wide.ad.jp"という名前をつけて、それを使ってWebページが見られるようにします。この名前は、左から右へしだいに範囲が大きくなるような書き方になっています。

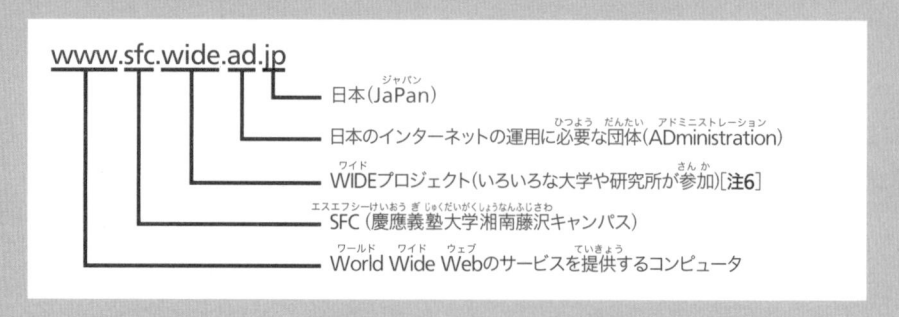

```
www.sfc.wide.ad.jp
│  │   │   │  │ └─ 日本（JaPan）
│  │   │   │  └── 日本のインターネットの運用に必要な団体（ADministration）
│  │   │   └──── WIDEプロジェクト（いろいろな大学や研究所が参加）[注6]
│  │   └────── SFC（慶應義塾大学湘南藤沢キャンパス）
│  └──────── World Wide Webのサービスを提供するコンピュータ
```

これをドメイン名システムとよんでいますが、基本的には人の名前と同じだと思ってよいでしょう。

■[注6]……WIDEはWidely（広範囲にわたって）Integrated（まとまりのある）Distributed（分散した）Environment（環境）の略で、地球上のすべてのコンピュータがインターネットにつながって、広くわたしたちの生活に貢献するような世界をつくろうと思ったら、どのような技術が必要で、なにが問題なのかを追求するプロジェクトです。

相手の名前をよぶと、よばれた人はふり返ります。このとき、同じ名前の人がふたりいるときは気をつけます。太郎くんがふたりいるときは、「太郎くん」とはよべず、よくあることですが、「山田太郎くん」などとよばなければなりません。
　「太郎くん」といって、かならずその人だと特定できるためには、たとえば、部屋のなかに太郎くんがひとりしかいないとわかっていなければなりません。その範囲のなかに太郎くんは何人いるかな、と考えて、ひとりしかいない範囲とわかってはじめて、その名前が使えますが、その範囲のことをドメイン（定義域）とよびます。範囲をきちんと決めて、名前をつけてよぶ方法がドメイン名なのです。
　東京都の中央区には銀座がありますが、銀座という地名は日本中あちこちにあります。ほんとうに区別したいときは東京都中央区銀座といえばいいね、というふうに、同じ名前がふたつ使われないようにする仕組みをうまく使って、相手をよぶときに名前が混乱しないようにしています。それがドメイン名システムです。
　ドメイン名システムでは、記号の並びでわかりやすく、たとえば、この本のWorld Wide Webのサービスなら下の図のように、わたしたちの生活のなかで知っている名前と結びつくようにしています。

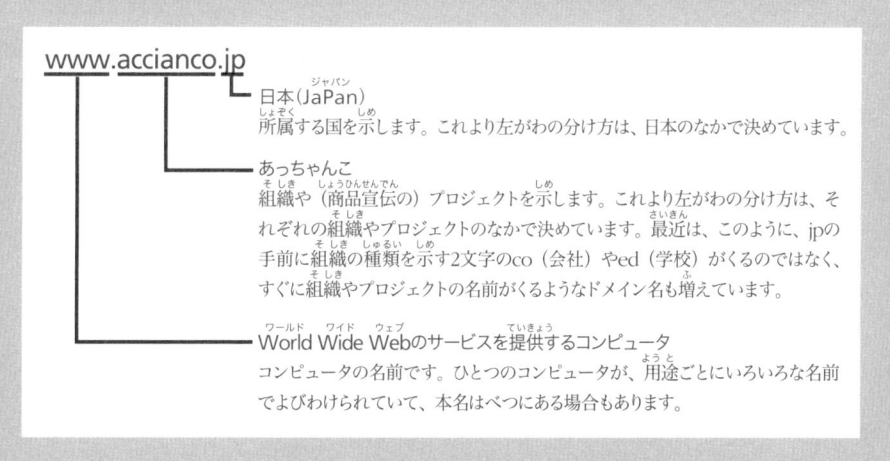

www.accianco.jp

日本(JaPan)
所属する国を示します。これより左がわの分け方は、日本のなかで決めています。

あっちゃんこ
組織や（商品宣伝の）プロジェクトを示します。これより左がわの分け方は、それぞれの組織やプロジェクトのなかで決めています。最近は、このように、jpの手前に組織の種類を示す2文字のco（会社）やed（学校）がくるのではなく、すぐに組織やプロジェクトの名前がくるようなドメイン名も増えています。

World Wide Webのサービスを提供するコンピュータ
コンピュータの名前です。ひとつのコンピュータが、用途ごとにいろいろな名前でよびわけられていて、本名はべつにある場合もあります。

　最近ではもっとよびやすくする努力をしていて、電話番号は番号のままとか、日本語を使えるようにしようとか、いろいろなくふうを考えていますが、ドメイン名としての考え方はいっしょです。ドメイン名を使って、インターネットにつながるものを、世界中で識別できるようにしているのです。

第4章 ネットワークの不思議

④-① ちょっとした冒険

IPアドレスを調べたら

　それは、あっちゃんこのお母さんが、穴の向こうがわに来てしまったあっちゃんこたちと初めてビデオ電話で話をしたときのことでした。ケンチャのGPS装置がこわれているのを知ったお母さんは、そのときケンチャが使っていたIPアドレスをメモしたのです。

　そして、そのIPアドレスがふくまれるネットワークを運用している組織を調べてみました。すると、それは「ヒュルルン電力」という電力会社で、その住所もわかりました。そこで、あっちゃんこたちがいるのが、なんという国のなんという地方なのか、だいたいのところをわりだせたのでした。

　「あっちゃん、ケンチャ、パピーちゃん」

　ケンチャのおなかの画面に映った、あっちゃんこのお母さんが言いました。

　「みんながいる場所は、不思議の国です」

　みんなにとって幸運だったのは、そこには、あっちゃんこたちがたよりにできる人物が住んでいたのです。

不思議の国でした

　不思議の国は、この物語の世界にじっさいにある国で、国名が「不思議の国」というのです。国としては若く、建国後10年くらいでした。

　「不思議の国には、ママの弟が住んでいます。だから、あっちゃんの叔父さんね。叔父さんにはもう連絡してあって、『ポンポコ駅』の『テケテケ出口』で待っているから、みんなには電車を使って『ポンポコ駅』まで行ってほしいの」

　「ポンポコ駅までは、どう行けばいいの？」

　「それはママにもわからないの。ママにわかっているのは、みんなが

不思議の国にいるらしいということ。そして、不思議の国のなかでも、叔父さんの家に近い場所にいるらしいということだけなの」

　さあ、これはちょっとした冒険です。

　運がよければ、あっちゃんこたちが最初に見つける駅がポンポコ駅でしょう。そうでなければ、見つけた駅から電車に乗って、ポンポコ駅まで行かなければなりません。乗りかえずに行けるかもしれませんし、もしかしたら、何度も乗りかえなければならないかもしれません。あっちゃんこも、ケンチャも、パピーちゃんも、不思議の国は初めてだし、自分たちだけで電車に乗ったことがないので、うまく行けるか不安でした。

　「でもね、不思議の国の人びとは、みんな親切な人たちだから、聞きながら行けばだいじょうぶよ」

　あっちゃんこたちは、お母さんもそう言うし、だいじょうぶだろうということで、冒険の旅を続けることにしました。

ポンポコ駅をめざして

　しばらくして、町に着いたあっちゃんこたちは、ほどなく「ヒュルル

ン駅」と書かれた駅を見つけました。そこでケンチャは、たいへんなことに気づきました。

「ぼくたちは、不思議の国のお金を持っていないから、電車に乗ることができないかもしれないよ」

もし、3人組が電車に乗るためにお金が必要だったら、この旅を続けることはできなくなってしまいますし、叔父さんにも会えません。

どうしよう。どうしよう。

3人組が駅の構内でそわそわ、もじもじしていると、ひとりの駅員さんが近づいて来ました。

ケンチャはドキドキしながら、駅員さんに打ちあけました。

「あのう、ぼくたち、お金を持っていないんですけど、どうしてもポンポコ駅に行かなければならないんです」

「きみたちは外国から来たんだね」

駅員さんは、3人組をちらりと見て言いました。

「この国では、電車に乗るとき、子どもとロボットと子犬は運賃が無料なんだよ」

それを聞いて、みんなは安心しました。

「ポンポコ駅までは、どう行けばいいの？」

あっちゃんこが聞きました。

駅員さんは、つぎのように説明しました。

「まずは、クネクネ方面行きの電車に乗ること。そして『どうぶつえん駅』で乗りかえるんだ。乗りあわせた人に、いつおりればよいか聞くといいよ」

駅員さんは、手に持ったペン入力式の小型コンピュータの画面を見る

と、ちょうどクネクネ方面行きの電車がまもなく発車するところだと3人組に伝えました。
「みんなが電車に乗るまで、発車しないように車掌さんに連絡しておくよ」
駅員さんは小型コンピュータの画面に車掌さんをよびだして、発車を遅らせるようにたのみました。
やっぱり、駅の構内もインターネットにつながっているし、電車のなかもつながっているようすでした。ケンチャの言うように、この国ではインターネットが空気のように、どこでも使えるようです。

クネクネ方面行きの電車に乗る

クネクネ方面行きの電車は、クラシックなデザインの列車で、各駅停車でした。あっちゃんこたちが乗りこんで、空いている席に座るとすぐに、待ちかまえていたかのように電車が発車しました。電車は、あっというまに市街地を離れて、一面の緑のなかを進んでいきます。遠くで白い風車がいくつも回っていました。
となりに座っていたおじいさんに、ケンチャが聞きました。
「あのう、どうぶつえん駅でおりたいのですけど、何駅めですか？」
おじいさんは、まるで聞かれなれているかのように答えました。
「どうぶつえん駅は、ここから7つめの駅だよ。わたしは6つめの駅でおりるから、わたしのおりるのを見て、そのつぎの駅でおりるんだよ」
「ありがとう、おじいさん」
親切なおじいさんは6つめの駅でおりていきました。そのつぎの駅が、あっちゃんこたちが乗りかえる「どうぶつえん駅」でした。

どうぶつえん駅で、不思議の国の国歌を聴く

どうぶつえん駅は、ものすごく天井の高い駅でした。ずらっと並んだ

プラットフォームに、たくさんの路線の電車がとまっては発車していきます。あとでわかったことですが、どうぶつえん駅は、不思議の国でもっとも大きな駅のひとつなのだそうです。

　駅の構内は祝賀ムードにつつまれていました。ケンチャがたれ幕を読んだところ、建国記念日が近づいているらしいことがわかりました。電車をおりたときから、軽快な歌が流れていましたが、それは不思議の国の国歌でした。

　　　どこでもインターネット（インターネット、インターネット）
　　　だれでもインターネット（インターネット、インターネット）
　　　ふしぎのくには　みんなのみらい

　　　いつでもインターネット（インターネット、インターネット）

なんでもできちゃうネット（インターネット、インターネット）
　　ふしぎのくには　まんなか　がんばらない
　　　　　　　　　　：

　あっちゃんこたちは、インターネットのすごい国に来たのだなあと実感しました。

探検隊の出番

　ポンポコ駅に行くにはどうすればよいか、通りがかった駅員さんにケンチャが聞くと、駅員さんはこう答えました。
　「ほんとうはタ・ヌー方面行きの電車に乗ればいいんだけどね、いま、電車が故障して不通になっているんだ」
　駅員さんは手に持った小型コンピュータで、かわりの行き方を探しました。
　「6番線のモヘミアン行きに乗って、ホン・ジャラゲ駅で乗りかえるといいよ」
　あっちゃんこたちが6番線に行くと、すでに電車が待っていました。どうぶつえん駅は、いくつもの路線の始発駅なのです。あっちゃんこたちは電車に乗りこむと、席につきました。
　ホン・ジャラゲ駅は何駅めでしょうか。
　「ここから4つめの駅よ」
　となりに座ったおばあさんが親切に教えてくれました。
　「ありがとう、おばあさん」
　「どういたしまして。くわしいことは、あそこの路線図を見てね」
　おばあさんの指さした方向には、「不思議の国　ガイネン地方　鉄道路線図」と書かれた図が壁にはってありました。
　その図をしばらく見ていたケンチャは、あっ、と気づきました。
　「あっちゃんこ、探検隊の出番だよ」

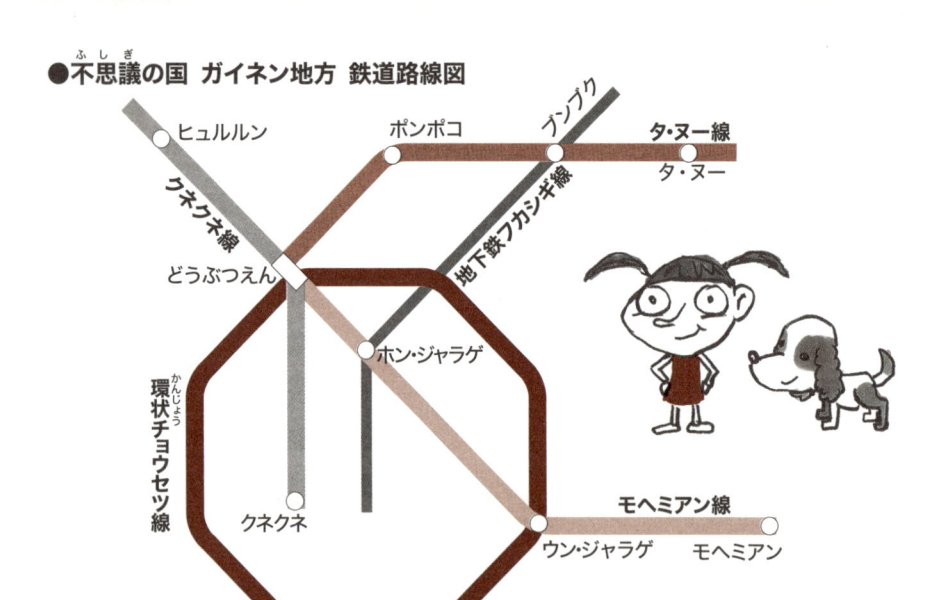

●不思議の国 ガイネン地方 鉄道路線図

あっちゃんこたちは、ヒュルルン駅→どうぶつえん駅→ホン・ジャラゲ駅→ブンブク駅→ポンポコ駅と、乗りかえて行きます。

「ケンチャばっかり、ずるいよ。探検隊の隊長はあっちゃんこだよ」
あっちゃんこは、隊長らしい活躍ができなくておもしろくありません。でも、探検じたいはおもしろいので、こうつけくわえました。
「こんどは、どこを探検するの？」
「インターネットの仕組みだよ」
ケンチャは少し興奮ぎみに言いました。
「この電車の旅は、インターネットの仕組みとそっくりなんだ」

④-② ネットワークの鉄道モデル

おつかいあっちゃんこ

「これから、インターネットごっこをするよ」

とケンチャが言いました。
　なんだか楽しそうです。あっちゃんこもパピーちゃんも、ワクワクしてきました。
「あっちゃんこは、ママにたのまれて、パケット（小包）を運びます」
　パケットというのは、デジタルに表されたデータを、一定の長さで区切って小分けしたひとかたまりです。インターネットでは、データはパケットごとに運ばれるのです。
「うん、わかったよ。どこに運ぶの？」
「ポンポコ駅のテケテケ出口だよ」
「いま、行くところだね！　……でも、あっちゃんこ、ひとりじゃ運べないよ。聞かないとわからないもん」
「あっちゃんこひとりじゃ、たいへんなの。ケンチャもボクも、いっしょに行くの」
「うん。でも、インターネットでは、パケットはひとりで旅をするんだよ」
　パケットはえらいなあ、とあっちゃんこは思いました。

とちゅうでおりずに行ける範囲、それがネットワーク

　ケンチャは、おなかの画面に小包の絵を映しだしました。その小包には、大きな荷札がついていて、そこには「ポンポコ駅行き」と書かれていました。
「こうやって、荷札にポンポコ駅行きと書いてあれば、だいじょうぶだよ」
　そうすれば、駅員さんや車掌さんや、親切な人たちがあっちゃんこを連れていってくれるはずです。
「さて、ここでネットワークのお話です。インターネットごっこをはじめるまえの、頭の準備体操だよ。あっちゃんこは、おしゃべりの3つの層のお話をおぼえているかな？」

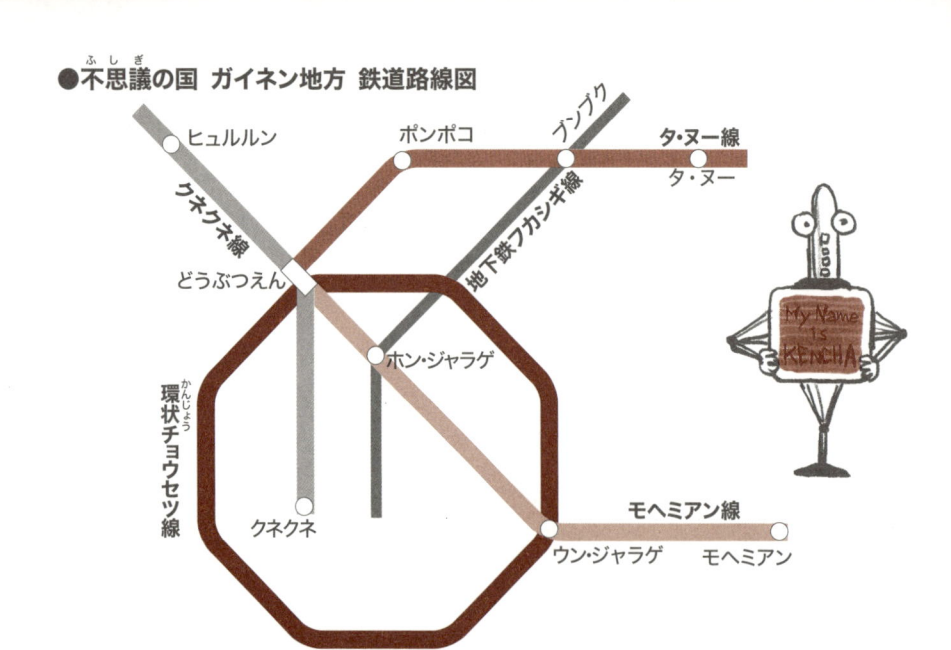

●不思議の国 ガイネン地方 鉄道路線図

クネクネ線、地下鉄フカシギ線、環状チョウセツ線、タ・ヌー線、モヘミアン線が、それぞれネットワークにあたります。
　インターネットは、そうしたネットワークがつながったものです。ネットワークどうしがつながるところには「乗りかえ駅」にあたるコンピュータがあります。

「うん、おぼえているよ。まず、空気でつながるんだよ」
「そうだね。インターネットでは、まず、ネットワーク（LANと言いかえてもいいよ）でつながるんだ。ネットワークは、いくつかのコンピュータを通信回線でつないだものだよ。通信回線というのは、通信する内容をたがいに送るための路線のことなんだけど、ネットワークは鉄道の路線にとても似ているんだ」

　鉄道の路線の各駅が1本の線路でつながっているように、ネットワークのなかのコンピュータもひとつの通信回線でつながっています。鉄道では、線路でつながっているかぎり、電車は進んでいけるので、もし、目的の駅が同じ路線にあれば、電車をとちゅうでおりずに目的地にたど

り着けます。同じように、情報が、ひとつの通信回線だけを使って目的のコンピュータにたどり着ける範囲が、ネットワークなのです。

「もし、ヒュルルン駅で電車に乗ったあっちゃんこが、乗りかえずにポンポコ駅でおりられたとしたら、それはヒュルルン駅とポンポコ駅が、同じネットワークにあるということだよ。でも、じっさいには、どうぶつえん駅で乗りかえたから、ヒュルルン駅とどうぶつえん駅が同じネットワークにあるんだ」

路線図で言うと、

ヒュルルン駅 ─どうぶつえん駅─クネクネ駅

を結ぶ線、「クネクネ線」が、たとえるならひとつのネットワークです。「地下鉄フカシギ線」や「環状チョウセツ線」も、それぞれネットワークなのです。

鉄道の路線は、地上線だったり、地下鉄だったりします。同じように、それぞれのネットワークの通信回線は、おのおので異なってかまいません。光ファイバーでつながってもよいし、電波でも、ケーブルでも、電話線を使ってもよいのです。

「空気を使って音を伝えるためにもルールがあったように、線路のうえを走るのにもルールがあるよ。たとえば、電車どうしが衝突しないように、信号機があるよね。赤のときは停止しなければならないとか、ルールが決まっていて、電車はそれを守っているんだ」

「あっちゃんこも電車のルール、知ってるよ。お年寄りには席をゆずるんだよ」

「う、うん」

ケンチャは少しうろたえましたが、考えてみれば、それも線路をみんなが共有して使うために、とてもたいせつなことです。

「それも、たいせつなルールだね。同じように、ネットワークには、

データがぶつからないようにしたり、データに優先順位をつけたり、データのまちがいを見つけたり、なおしたりするためのルールが決まっているんだ」

ケンチャは続けました。

「鉄道には、乗りかえ駅があるよ。目的の駅が同じ路線になくても、乗りかえ駅でべつの路線に乗りかえれば、電車を使って駅から駅へ自由に移動できるよね。同じように、乗りかえ駅にあたるコンピュータを使って、ネットワークからネットワークへ乗りかえて、目的のコンピュータにたどりつくための仕組みがインターネットなんだ[注1]」

これを層で表すと、つぎのようになります。

●インターネット、下から3つまでの層

名前	関係	どんな層か
インターネット層	↑ 上の層	（乗りかえて）目的の駅に着けるかな？
データリンク[注2]層	↕	電車で乗りかえずに行けるかな？
物理層	↓ 下の層	線路でつながっているかな？

行き先は路線＋駅名、それがIPアドレス

同じ路線の電車に乗れば、いずれは目的の駅にたどり着けるのですから、まずは目的の駅がある路線をめざして乗りかえていくことになります。

ポンポコ駅があるのは、なんという路線でしょうか。

「路線図によれば、ポンポコ駅は、どうぶつえん駅からタ・ヌー方面に行くタ・ヌー線にあるんだ。乗りかえてタ・ヌー線の電車に乗れれば、ポンポコ駅に着けるから、まず、めざすのはタ・ヌー線だね。それに、もしかしたら、ほかの地方のほかの路線にもポンポコという名前の駅はあるかもしれないから、ほんとうは行き先には駅名だけでなく、路線の

名前もふくめる必要があるし、そのほうが駅を探すのがかんたんだよ」
　ケンチャのおなかの画面に映った小包の荷札が「タ・ヌー線ポンポコ駅行き」に変わりました。
　「同じように、インターネットで行き先を指定するのに使うIPアドレスは、ネットワーク（路線）を表す番号に、コンピュータ（駅）を表す番号をつけ足したものなんだ」

乗りかえればどこへでも行ける、それがインターネット

　準備体操が終わったので、いよいよインターネットごっこのはじまりです。
　「あっちゃんこが小包を運ぶ役で、パピーちゃんが駅員さんの役だよ」
　「ボ、ボク、がんばるの」
　あっちゃんことパピーちゃんは席をおりて、向かいあいました。あっちゃんこは小包をかかえたようなポーズで、すっかり役になりきっています。
　「さあ、あっちゃんこがヒュルルン駅にやってきたよ。よーい、アクション！」
　まるで映画の撮影です。ほかの乗客たちも、興味深げに観ています。
　「こんにちは」
　「こんにちはなの」
　「あのね、あっちゃんこ、タ・ヌー線のポンポコ駅に行きたいの」
　「そうですかなの」

［注1］……インターネット（Internet）ということばの語源は、ネット（net）のあいだをまたぐ（inter-）ということです。インターナショナル（international；国際）などのように、「インター」という接頭辞には「〜のあいだ（をまたぐ）」という意味があります。
［注2］……データリンク（data link）というのは、データを伝送するためのリンク（link；連結）という意味です。

パピーちゃんはちょっと緊張しているようすです。
「こ、ここはクネクネ線の駅なの。だから乗りかえなの。ど、どうぶつえん駅で乗りかえるの」
　クネクネ線には乗りかえ駅はひとつしかありません。だから、行き先の駅がクネクネ線になければ、タ・ヌー線でも、モヘミアン線でも、なんでもどうぶつえん駅で乗りかえです。
「そこで駅員さんのパピーちゃんは、あっちゃんこに『どうぶつえん駅行き』のきっぷを渡すんだよ」
　ケンチャ監督の演技指導です。
「はいなの」
　きっぷを受けとったあっちゃんこは、クネクネ線の電車に乗ります。当面の目的地はどうぶつえん駅です。
「あっちゃんこは、『どうぶつえん駅行き』と書かれたきっぷを持っているよね。だから、どうぶつえん駅に着くと、親切な人がおりるように教えてくれるんだ」
「あのおじいちゃんだね！」
「そうだよ」

電車をおりると、きっぷは不要になるので、車掌さんに渡します。

「小包を持ったあっちゃんこがどうぶつえん駅をうろうろしていると、駅員さんが荷札に気づいて、乗りかえのプラットフォームに連れていってくれます」

「タ・ヌー線のポンポコ駅に行きたいのね」

こんどはどうぶつえん駅の駅員さんに扮したパピーちゃんが言いました。

「ほんとうはこの駅からタ・ヌー線の電車に乗ればいいけど、いまは不通なの。かわりに、モヘミアン線に乗るの。ホン・ジャラゲ駅で乗りかえなの。だから『ホン・ジャラゲ駅行き』のきっぷをあげるの」

あっちゃんこは、パピーちゃん駅員さんからきっぷを受けとりました。

「インターネットでは、こんなふうに、目的のコンピュータに向かうためにひとつの道順がだめだったら、べつの道順を使うことができるんだよ。どんなふうに乗りかえるかは、乗りかえ駅のコンピュータがそのつど、教えてくれるんだよ」

なるほど、こうして行けば、あっちゃんこひとりでもポンポコ駅に着けそうです。

「なんだかおもしろい3人組だこと」

となりのおばあさんが言いました。

「旅芸人の一座かしら。でも、もうすぐホン・ジャラゲ駅よ」

④-③ インターネットは保証しない

インターネットごっこ、完結編

あっちゃんこたちは、ホン・ジャラゲ駅で地下鉄フカシギ線に乗りかえました。8つめの駅がブンブク駅。最後の乗りかえ駅です。

「インターネットごっこの続きだよ」

あっちゃんこは目的地に着くところまでやりとげるつもりです。フカ

シギ線の電車に乗ってすぐに、はりきって言いました。
「あっちゃんこは、ホン・ジャラゲ駅に着きました。駅をうろうろしています。よーい、アクション！」
ケンチャの合図であっちゃんこが演技をはじめました。
「あっちゃんこだよ、タ・ヌー線のポンポコ駅に行きたいんだよ」
「おやおや、迷子のお嬢ちゃんなの」
パピーちゃんも調子がでてきたようです。
「タ・ヌー線に行くなら、地下鉄フカシギ線に乗るの」
パピーちゃんは、あっちゃんこにブンブク駅行きのきっぷを渡します。地下鉄に乗って、ブンブク駅に着いて、あっちゃんこがうろうろしていると、また駅員さんがきっぷをくれます。
ポンポコ駅行きのきっぷをもらったあっちゃんこは、タ・ヌー線のどうぶつえん駅方面行き電車に乗って、ポンポコ駅でおります。
またしても駅でうろうろしているあっちゃんこを、駅員さんのパピーちゃんが見つけると、小包の荷札を見て、こう言うのです。
「タ・ヌー線のポンポコ駅はここなの。おつかれさまなの」
そして、あっちゃんこを出口の手前[注3]まで送ってくれるのです。

届かなかったらどうするの？

　でも、とちゅうで迷子になっていなくなっちゃったら、どうすればよいのでしょう。

　「あっちゃんこがとちゅうで、ほんとうに迷子になったらどうなっちゃうの？　駅員さんは、かならずあっちゃんこを見つけられるの？」

　心配そうにパピーちゃんが聞きました。

　「うーん、じつはパケットは失われてしまうこともあるんだ。駅員さんが送り先をまちがえたり、たくさんのパケットがいちどに届いて、めんどうをみきれなくなったりすると、パケットがどこかに消えてしまうことになるんだよ」

　「えーっ！　たいへんなの」

　「そういうことがあるので、『届いたかどうかたしかめること』『届いてなかったときはどうするか』という、ふたつの仕組みが必要になる場合があるんだ[注4]」

　「インターネットごっこの続き？」

　あっちゃんこは遊びたりないようです。

　「ううん、インターネットごっこは、もう完結したんだ。インターネット層がやっていることは、もう探検しおわったんだよ」

　インターネットは意外とかんたんなのでした。

　「こんどは、いままで探検してきたインターネット・プロトコル、す

[注3]……出口の外までは送りません。それはインターネット層の仕事ではなくて、もうひとつ上の層（つぎに説明するトランスポート層）の仕事です。

[注4]……そうでない場合もあります。つまり、パケットがときどき届かなくても、問題なく使える場合もあります。たとえば、インターネットを使ってコンサートの生中継をするような場合、多少、パケットが届かなくても、届かなかった部分を適当におぎなって画面に映すことができるので、画質に大きな影響がないようにすることができます。この場合、データが確実に届くことよりも、完全でなくてもよいので、映像が遅れずに画面に映ることのほうが重要なのです。

なわちインターネット層の通信の約束ごとを使って、上の層がどうやって確実に情報を届けるかというお話だよ」

「ふーん」

「その『ごっこ』をいまからはじめるよ」

「わーい」

げんきんなあっちゃんこでした。

届いたかどうかたしかめる

「まず、『届いたかどうかたしかめること』だよ。駅の出口の手前には、検査をする人がいて、小包の包みを開いて確認するんだ。あっちゃんこは、その人に小包を渡したら、『受けとったよ』と書かれた紙の入ったべつの小包を持って、ヒュルルン駅にもどっていくんだよ。その小包の荷札には『クネクネ線ヒュルルン駅へ』と書かれているんだ。ヒュルルン駅では、あっちゃんこがもどってきたら、検査人が小包の包みを開いて、相手に送ったものが届いたことを確認するんだよ」

せっかくポンポコ駅に着いたのに、またもどっていくなんて、たいへんです。あっちゃんこは、そこの部分の「ごっこ」は省略することにしました。

届いていなかったときは……

「そして、『届いてなかったときはどうするか』だけど、これはね、じつは、しばらく待ってもあっちゃんこがもどってこなかったら、ヒュルルン駅からあっちゃんこをもうひとり送りだすんだよ」

「んがも！」

もちろん、これは冗談。

　でも、パケットを送ってみて、届いていないようだったら、また送る。それがインターネット・プロトコルを使って確実に情報を届けるための仕組みなのです。

順序がちがったら、どうするの？

　インターネット層だけではできないことが、もうひとつあります。それは、パケットが到着する順序を守ることです。

　「ケンチャ・セパレーツ！」

　ケンチャがさけぶと、ドゴーン、という音がして、ケンチャが1号（頭）、2号（胴体）、3号（脚）に分離しました。

　「あ、ケンチャ1号、2号、3号だ！」

　あっちゃんこはいつも見ているからおどろきませんが、ほかの乗客たちはどよめいています。ケンチャの部品は空中に浮かんで、それぞれグ

ワッシ、グワッシと音をたてています。
「ケンチャ1号がヒュルルン駅からポンポコ駅に行くよ」
ケンチャ1号がしゃべりました。
「お空を飛んでいくの？」
「ううん、電車で運ばれていくんだよ。あっちゃんこは、ヒュルルン駅からポンポコ駅への行き方はもうおぼえたかな？」
「うん。えっとね、どうぶつえん駅に行って、ホン・ジャラゲ駅に行って、って行くんだよ」
「そうだね」
こんどはケンチャ2号から声がしました。
「でも、ケンチャ1号がホン・ジャラゲ駅に向かって電車に乗ったあ

●不思議の国 ガイネン地方 鉄道路線図

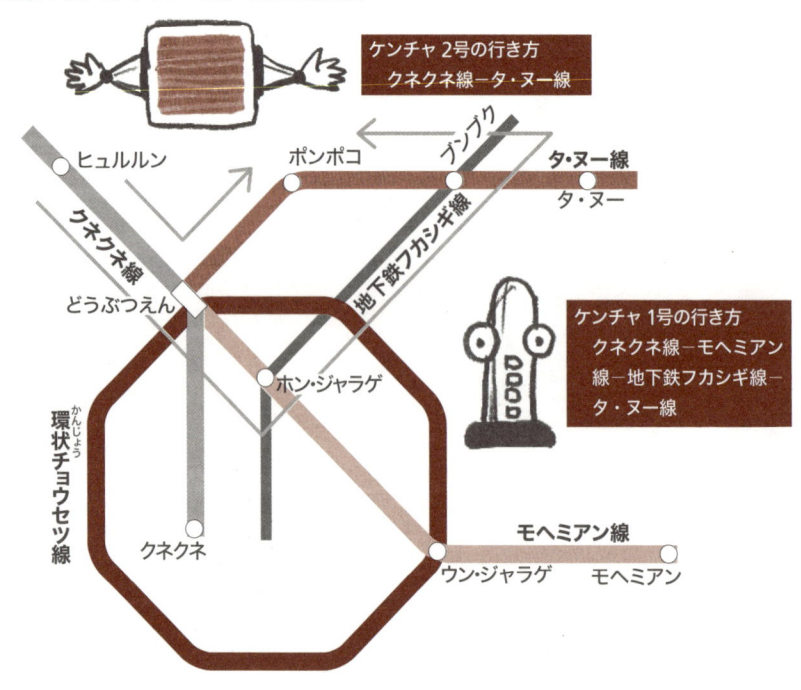

ケンチャ2号の行き方
クネクネ線－タ・ヌー線

ケンチャ1号の行き方
クネクネ線－モヘミアン線－地下鉄フカシギ線－タ・ヌー線

駅：ヒュルルン、ポンポコ、タ・ヌー、どうぶつえん、ホン・ジャラゲ、クネクネ、ウン・ジャラゲ、モヘミアン

路線：クネクネ線、タ・ヌー線、地下鉄フカシギ線、環状チョウセツ線、モヘミアン線

とに、タ・ヌー線が復旧したとするよ。そのあと、ヒュルルン駅からやっぱりポンポコ駅をめざして運ばれてきたケンチャ2号が、どうぶつえん駅に到着したとするよ」

そうすると、どうなるのでしょうか。

「そしたら、たぶん、ケンチャ2号が先にポンポコ駅に着くの」

パピーちゃんの言うように、どうぶつえん駅から直接、タ・ヌー線に乗りかえられれば、乗りかえの回数が少なくなるので、あとに出たケンチャ2号のほうが、おそらく1号よりも先に着くでしょう。それは、もしかしたらこまった事態をひき起こすかもしれません。

ケンチャが空中で、うえから2号、1号、3号の順番で並びました。

「あー、だめだよ、ケンチャ。もとの順序じゃないよ」

同じことがインターネットでも起こるのです。たとえば、

ねえさん、だいじなおさらわれた　（姉さん、だいじなお皿割れた）
〔パケット1号〕〔パケット2号〕〔パケット3号〕

が、このようになって伝わってしまうことが起きるかもしれません[注5]。

だいじなおねえさん、さらわれた　（だいじなお姉さん、さらわれた）
〔パケット2号〕〔パケット1号〕〔パケット3号〕

「意味が大ちがいなの」

「だったら、ケンチャ2号はポンポコ駅で、ケンチャ1号が来るのを待つんだよ。ケンチャ1号が来たら、1号が先に出口から出るよ。それから2号が出るよ」

［注5］……この例では、パケットの長さは5文字分としていますが、じっさいにインターネットで用いられているパケットはもっと長いです。

「すごいよ、あっちゃんこ。まさにそういうふうにインターネット・プロトコルをおぎなって、必要な場面では順序を守るようにしているんだよ。その役目は検査人がつとめているんだ」

ケンチャ1号、2号、3号が空中で順序どおりに並びました。

「ケンチャ・コンバイーンッ！」

1号のかけ声で、ケンチャの部品がドッキングして、もとにもどりました。

届かなくてもいいんだ

でも、こうして見てくると、インターネットって、なんだかたよりない感じです。

「インターネットは、どうしてもっとがんばらないの？」

とあっちゃんこが聞きました。

「インターネットは、十分がんばっているとは思うけど、あえて保証しないようになっているんだ[注6]。届くことも保証しないし、届く順序も保証しないことには、理由があるんだよ」

ケンチャは説明しました。

「保証しないと、インターネットじたいの仕組みをかんたんにできるんだ。かんたんにすると、インターネットに参加しやすくなるよ。インターネットにつながるコンピュータや、そのためのソフトウェアをつくるのが、かんたんになるからなんだ」

ふたたび鉄道のたとえで考えてみましょう。新しい路線をつくるときは、全席、ごうかなシートで最高の乗り心地を提供しなければならない、

などとしたら、ほとんど、どんな鉄道会社でも参加できないでしょう。でも、とりあえず乗れればよくて、しかもたまに目的の駅に着かないことがあってもよい、ということであれば、トロッコが走るような路線でもよくなります。だったら、多くの会社が気楽に新しい路線をつくることができるでしょう。

　同じように、もしインターネットにつながるための回線に高度な品質を求めたら、インターネットはとても高いものになってしまいますし、なかなか普及しなかったでしょう。でも、回線に対して求めることがほとんどなかったので、インターネットはこれだけすばやく、世界中の広い範囲に普及したのだと言えます。

保証しないから強くなれる

　「もうひとつ、保証しないことのたいせつな理由は、故障が起こったときや、なにかが変わったときでも、しぶとくつながり続けるためなんだ」

　あっちゃんこたちが、ポンポコ駅に行くために、タ・ヌー線ではなくて、モヘミアン線と地下鉄フカシギ線を使えたように、インターネットでは道順を自由に、すばやく変えることができます。もし、データが届くことを保証したり、届く順序を保証するとなると、そんなふうに身軽に道順を変えることはできなくなってしまいます。

　なぜかというと、急に道順を変えたとき、パケットにまちがった乗りかえを教えてしまうと、とちゅうまで送られていたデータが急に届かなくなりますし、正しい乗りかえを教えても、ケンチャ2号が1号よりも先に着いたように順番がまちがって届いてしまうからです。道順を変えても、そういった混乱が起きないようにするためには、新しい乗りかえ

[注6]……このように、最善はつくすけれども、保証はしない、ということをベスト・エフォート（best effort; 最善努力）とよびます。

方がまちがっていないか、パケットを送る順序が正しくなるかなどを、各駅が相談して、念入りに計画する必要があります。でも、そんなことをしていたら、突然、故障が起きたとき、インターネットがとまってしまい、かえってみんなのめいわくになります。

インターネットは保証しない。

そうすることによって、軽やかさと強さが生まれるのです。

保証が必要なときは、インターネット・プロトコルを使って通信する両はしが、がんばって行ないます。まんなかのインターネットは、がんばらないのです。

●インターネット、下から4つまでの層

名前	関係	どんな層か
トランスポート[注7]層	↑ 上の層	着いたかな？　順番どおりかな？
インターネット層		（乗りかえて）目的の駅に着けるかな？
データリンク層		電車で乗りかえずに行けるかな？
物理層	↓ 下の層	線路でつながっているかな？

この保証のための仕組みは、インターネットでつながっていることを前提としているので、インターネット層より上の層であるということが言えます。そのことを表したのが上の表です。

3人組は最後の乗りかえを終え、電車はポンポコ駅に到着しました。

あっちゃんこ、ちょっぴり泣いたけど元気です

ポンポコ駅のテケテケ出口を出ると、叔父さんがむかえに来てくれていました。

「やあ、あっちゃん、大きくなったね！」

穴のこっちがわに来てから、あっちゃんこのことを知っているおとなは初めてだったので、あっちゃんこはびっくりして、きょとんとなって

しまいました。
　いっぽう、パピーちゃんは喜んで、ワンッ、ワンッとほえながら、叔父さんにとびつきました。
「パピーちゃんも！　おぼえててくれたんだね」
　ケンチャは、叔父さんが不思議の国に移住したあと、あっちゃんこのうちのメンバーに加わったので、叔父さんと会うのは初めてでした。
「きみはケンチャだね、はじめまして」
「はじめまして」
「叔父さん、こんにちは」
　あっちゃんこも、ようやくあいさつができました。でも、しばらくもじもじしていると思ったら、ケンチャをつついて、こう言ったのです。
「あっちゃんこ、ママにメールする」
　あっちゃんこがメールするときは、いつもあっちゃんこがしゃべって、それをケンチャが文字にします。あっちゃんこは、ゆっくりしゃべりだしました。

■ [注7]……トランスポート（transport）は、輸送という意味です。

ママへ
あっちゃんこ、ポンポコえきについたよ
おじさんにあえたよ
あっちゃんこはげんきです

「わーん」
　これまで元気だったあっちゃんこも、電車の旅が不安だったのと、叔父さんとやっと会えて、遠くに来たことを実感したからでしょうか、急にお母さんが恋しくなって泣きだしてしまいました。
　叔父さんがハンカチを出して、あっちゃんこの顔をふいてくれます。
「あっちゃんこ、元気になるね」
　あっちゃんこはみんなに元気づけられて、また元気になりました。

さあ、出発！
「車の座席にシートを取りつけていたので、遅くなったと思ったけど、みんなもずいぶん遅かったね」
　叔父さんが言うと、3人組は口ぐちにこれまでのことを話しました。
「そうか、ヒュルルン駅から。しかもタ・ヌー線が不通だったんじゃ、乗りかえがたいへんだったろう」
　叔父さんがそう言って車のドアを開けると、チャイルド・シート、ロボット・シート、子犬シートが取りつけてありました。あっちゃんこ、ケンチャ、パピーちゃんがそれぞれのシートに座って、叔父さんも運転席に座って、さあ、出発です。
　安心したのか、あっちゃんこはウトウトと眠ってしまいました。パピーちゃんも、そのとなりの子犬シートのなかで丸くなって眠りました。

●純ちゃんコラム

インターネットの模型の話

モデルで、おおざっぱに考える

　東京のお台場にある日本科学未来館［注8］に、インターネットの模型が展示されているのを、みなさんは知っているでしょうか。
　模型のことを、英語でモデル（model）といいます。模型は、ほんものよりかんたんになっていて、ほんものの仕組みがよくわかるようになっています。インターネットのような、コンピュータを使ったシステムについても、モデルを使って考えると、仕組みがよくわかるようになります。
　システムのモデルを考えるさい、だいじなのは登場人物と、その役割と、そのあいだの関係です。それがきちんと言えたほうがよいのですが、ただし、言うときはおおざっぱに言っています。
　たとえば、ハンバーガー屋さんの仕組みを考えてみます。店には売る人やつくる人がいます。そして、お客さんがいます。これらの人びとが登場人物です。売る人はお客さんから注文を聞いて、お客さんは売る人に注文して、お金をはらいます。売る人はつくる人に注文を伝えます。これが登場人物の役割と、そのあいだの関係になります。
　ほんとうはもっと細かいことがあったり、たくさんの人びとがいるかもしれません。売る人にも、ほかに役割があるかもしれません。でも、おおざっぱに考えて、まとめる、そういうのがモデルです。登場人物と、その役割と関係というふうに考えることで、システムのことをとらえて、なにが足りないのだろう、どうしたら改善できるのだろう、という検討ができるようになります。

■［注8］……http://www.miraikan.jst.go.jp/

鉄道モデルとインターネット

　鉄道モデルについては、あちこちで説明していますが、とくに日本の都会のように、鉄道網が発達しているところでは、鉄道とインターネットは似ている点がとても多いのです。インターネットはどういうところがだいじかな、インターネットってどうなってるんだっけ、と思ったときは、鉄道を思いうかべると正しい答えにたどりつけます。インターネットが動かないような、むずかしい状況になったときは、鉄道で考えるとわかるのです。

　おおざっぱに言って、駅から駅に乗りかえて行ける仕組みがIP、すなわちインターネット・プロトコルです。検査人が、出口の手前でパケットが着いたかな、順番どおりかな、とたしかめて保証する仕組みはTCP（Transmission Control Protocol；転送制御プロトコル）とよばれます。ふたつあわせて TCP / IPとよびます。

　さて、じっさいの鉄道では駅は動きませんが、インターネットのモデルでは、コンピュータが移動することも考えていかなければなりません。コンピュータは人間が使うためにあり、人間は移動する生きものだからです。

　そこで思い出してほしいのは、風力発電所にいた 3人組が歩いて町に向かったとき、つぎつぎとべつの無線LANに移っていったということです。ケンチャがつながっているネットワークが変わっていったのですが、それでもあっちゃんこのお母さんは、ケンチャにあててビデオ電話をかけることができました。

　どんな仕組みがあれば、そんなことができるでしょうか。これは、とてもむずかしい問題で、わたしたちも苦労しているところなのですが、みなさんのなかでよいアイデアを思いつく人がでてくるかもしれませんね。

第5章 自律分散システムの不思議

⑤-① 信号のない交差点

ぐるぐる回る

「うわーっ！」
あっちゃんこの大きな声で、パピーちゃんは目をさましました。
「あっちゃんこ、どうしたの？」
「ぐるぐる回ってる！」
「ぐるぐる？」
あっちゃんこは車の窓の外を見ながら、チャイルド・シートのなかで手足をバタバタさせています。パピーちゃんも窓の外を見て、びっくりしました。
「車がたくさんなの！」
たくさんの車が、左がわに見える、まあるいモニュメントを中心にして、渦巻のようにぐるぐると回っています。あっちゃんこたちが乗っている叔父さんの車も、そのなかの1台です。あっちゃんこも、ケンチャも、パピーちゃんも、からだが右のほうに引っぱられる感じがしていました。
けっして速くは走っていないのですが、なにしろたくさんの車が密集して走っていて、いまにもぶつかりそうです。
「あぶないの！」
パピーちゃんも思わずほえだしました。
「ワンッ！　ワンワンッ！」
「あぶないよ！　あぶないよ！」
すぐそこまでとなりの車が近づいてきたので、あっちゃんこも声をあげました。
「ははは」
叔父さんは笑いながら運転していました。

あぶなくないの？

　叔父さんの落ち着いたようすに、あっちゃんこも冷静になって聞いてみました。
「あぶなくないの？」
「あぶなくないよ」
　車は、やがて渦巻をぬけて、まっすぐ進みはじめました。
「いまのはなんだったの？」
　パピーちゃんが聞きました。
「交差点みたいだよ」
　ケンチャが答えます。
「交差点？」
　あっちゃんこは、チャイルド・シートにからだが固定されていて、うまく後ろをふり返ることができません。でもいま、起こったことを思いかえしてみて、疑問に思いました。
「信号なかったよ。信号なかったよね、パピーちゃん」
「うん、なかったなの。信号のない交差点なの」
　信号のない交差点。
　それも、小さな交差点ならまだわかるのですが、たくさんの車が行きかうような、大きな、大きな交差点です。信号がなくて、どの車もとまらずに、ぐるぐる回る交差点です。

「んがも！」

　あっちゃんこはそんなものを見たのは初めてでした。

環状交差路っていいます

「ラウンドアバウト（roundabout）って、ぼくらはよんでいるんだけどね。環状交差路……この言い方はむずかしいかな。メリーゴーラウン

ドみたいなものさ」

　メリーゴーラウンドなら、あっちゃんこも遊園地で乗ったことがあります。

「でも、信号がなくて、ほんとうにあぶなくないんですか？」

　ケンチャも疑問に感じていました。

「あぶなくないよ。信号のある交差点より安全なくらいさ」

　その理由はこうです。信号のある交差点では、道はまっすぐです。その気になれば、信号を無視して、スピードをだして通りぬけることができます。その気にならなくても、居眠りしていればやっぱり同じことですし、注意がおろそかになっていても、やっぱり事故につながる可能性があります。信号があるからといって油断すると、事故が起こるのですが、運転手が油断しないようにする仕組みが、信号のある交差点にはないのです。

　いっぽう、信号のない、ぐるぐる回る交差点では、道は、まんなかの障害物を避けるようにして曲がっています。その気になったとしても、スピードをだしていては通りぬけられません。どうしても、ブレーキを踏む必要があります。居眠りしてまっすぐ進んだり、注意がおろそかになったりすると、確実に障害物やほかの車にぶつかって自分がケガをしますので、いやでも気をつけて運転しなければなりません。

「みんなが気をつけて運転するから、かえって安全なのさ」

　叔父さんは言います。

　でも、あっちゃんこの頭のうえの「？」マークは、まだ消えません。

「じゃあ、信号機と人間では、どっちが頭がよいと思う？」

　叔父さんは聞きました。

「うんとね、人間」

　あっちゃんこは答えました。ケンチャみたいなスーパーロボットならまだしも、信号機は時間がきたら信号を切りかえているだけです。

「だよね。じゃあ、信号機に自分の命をあずけるより、人間が考えて、

たがいにぶつからないようにすればいいじゃないか」

考えてみたら、それはそうかもしれません。

叔父さんによれば、この国では、なんでもそんなふうなのだといいます。

⑤-② 両はしが頭がよい

まんなかはがんばらない

「ラウンドアバウト……メリーゴーラウンド方式の交差点は、いろいろな国で使われているんだ。この国でもかなりの交差点はメリーゴーラウンド方式になっているんだよ」

「そのほうが安全だからですか？」

ケンチャが聞きました。

「うーん、というより、この国では『自分たち、ひとりひとりが主役だ』という意識が強いからかな」

つぎの環状交差路にさしかかり、叔父さんは車を減速させました。ぐるっと回って、みんなのからだが右にかたむきます。

「信号機っていうのは、こっちからくる車とそっちからくる車のまんなかにあって、車どうしがぶつからないように、がんばってくれているよね。だけど、そうじゃなくて、車を運転するぼくらががんばればいいじゃないかって、この国のみんなはそんなふうに考えるんだ」

叔父さんは続けました。

「『まんなかはがんばらない』ということだね。そのわりに、みんなも気づいたと思うけど、いろんなものがインターネットにつながっているだろう？　人間がコンピュータの言いなりになっているみたいで、ぼくはちょっといやなんだ」

「あのね、インターネットはがんばらないんだよ」

あっちゃんこが言いました。ケンチャの受けうりです。

「え？」
　叔父さんは意外に思っているようすでした。
「インターネットはホショーしないの」
「あっちゃん、インターネットにくわしいんだね」
　叔父さんは感心して言いました。
「うん、あっちゃんこ、インターネットの不思議、探検隊の隊長だもん！」
　あっちゃんこは得意気です。
「パピーちゃんとぼくは隊員なんです。叔父さん、インターネットも、まんなかはがんばらない仕組みなんですよ」
「そうなのかい？」

両はしでがんばる

　信号機のある交差点と環状交差路のちがいのようなものが、たとえば電話のネットワークである電話網と、インターネットのあいだにもあります。
　電話網では、まんなかに頭のよいコンピュータ（交換機[注1]）があって、両はしの、単純なことしかしない電話機のめんどうをみています[注2]。それに対してインターネットでは、まんなかには単純なことしかしないコンピュータ[注3]があって、両はしの、頭のよいコンピュータがいろいろ考えて情報を送りあっているのです。
「あっちゃんこは、インターネット層ではできないこと、おぼえてる？」
　ケンチャが聞きました。
「うーんとねえ」
　あっちゃんこはしばらく思い出していました。
「あっちゃんこがいなくなっちゃうことがあるでしょ、それとね、ケンチャ2号がケンチャ1号より先に着くの！」

叔父さんはなんの話だろう、という顔をしています。

「そうだね。インターネットはパケットが届くという保証をしないし、パケットが届く順序も保証しないよね。それともうひとつ、インターネット層ではできないことがあって、それは、インターネットが混雑しているときに、パケットの送り方をコントロールすることなんだ」

「インターネットはいろいろできないのねえ」

あっちゃんこは、ままごとでお母さん役をやるときのような口調で言いました。

お風呂と服装？

「それじゃあ、フローとふくそうのお話をするよ」

ケンチャは言いました。

あっちゃんこだけでなく、パピーちゃんや叔父さんの頭のうえにも「？」マークがでてきました。

「それは、お風呂に入るときは服をぬぐって話かい？」

あっちゃんことパピーちゃんも、ケンチャはお風呂と服装の話をはじめるのかな、と思っていたので、叔父さんが聞いてくれてよかったと思いました。

「いえ、そうじゃないんです」

ケンチャはちょっとあわてて言いました。

「フロー制御とふくそう制御[注4]といって、インターネットでの情報

[注1]……交換機は、電話をかけた電話機と、電話を受けた電話機のあいだに回線をつないで、通話ができるようにする機械です。
[注2]……単純なことしかしない電話機、と言われても、みなさんにはピンとこないかもしれません。いまでこそ留守番機能がついたり、子機が使えたり、いろいろできますが、昔は、電話機はほんとうになにもしなかったのです。
[注3]……乗りかえ駅にあたるコンピュータで、ルータ（router）とよびます。
[注4]……漢字で書くと輻輳制御です。

の流れをコントロールするときのふたつの考え方なんです」
　ケンチャも座席のロボット・シートに固定されているので、おなかの画面になにか映しても、あっちゃんこやパピーちゃんには見えません。そこでケンチャは、エネルギーの消費は大きくなりますが、ケンチャ・ホログラムを使って、あっちゃんこの目のまえに立体映像を浮かびあがらせました。
「ほろぐらむだ！」
　あっちゃんこはケンチャ・ホログラムが大好きでした。
　モコモコした雲が、あっちゃんこの目のまえに浮かんでいます。
「それがインターネットだよ」
「インターネットって、モコモコしてるの!?」
　あっちゃんこはびっくりです。
「うん、インターネットは、なかがどんなふうにつながりあっていて、なかでどんなことが起きているか、外からはわからないからモコモコなんだよ」
　モコモコのまわりにつぎつぎとコンピュータがあらわれました。コンピュータといっても、いろいろな姿をしています。駅員さんが持っていたような片手で持てる小型のコンピュータや、パソコンや、スーパー・

フロー制御「送る相手は元気かな？」

コンピュータもあれば、ケンチャのようなロボットもいます。
「フロー制御というのは、相手の状態を見ながらデータの送り方を調整することだよ」
　パワフルな処理能力をもつスーパー・コンピュータから、それほど能力の高くない小型コンピュータに向かって、インターネットのモコモコをとおして数の情報が流れていきます。スーパー・コンピュータはどんどん数を送れるのですが、小型コンピュータはそのペースについていけません。小型コンピュータのペースにあわせて、スーパー・コンピュータは数を送らなければならないのです。
「相手は元気かな？　と気をつかいながら送るのがフロー制御なんだ」
　いつのまにか探検隊の探検にまきこまれてしまった叔父さんも、ケンチャの話に興味津津です。
「つぎは、ふくそう制御だよ。ふくそうというのは、辞書をひいたらのってるけど、ほうぼうから物が集まって、1か所に混みあうことだよ。インターネットでは、とちゅうのモコモコの状態を見ながらデータの送り方を調整することも必要なんだ」

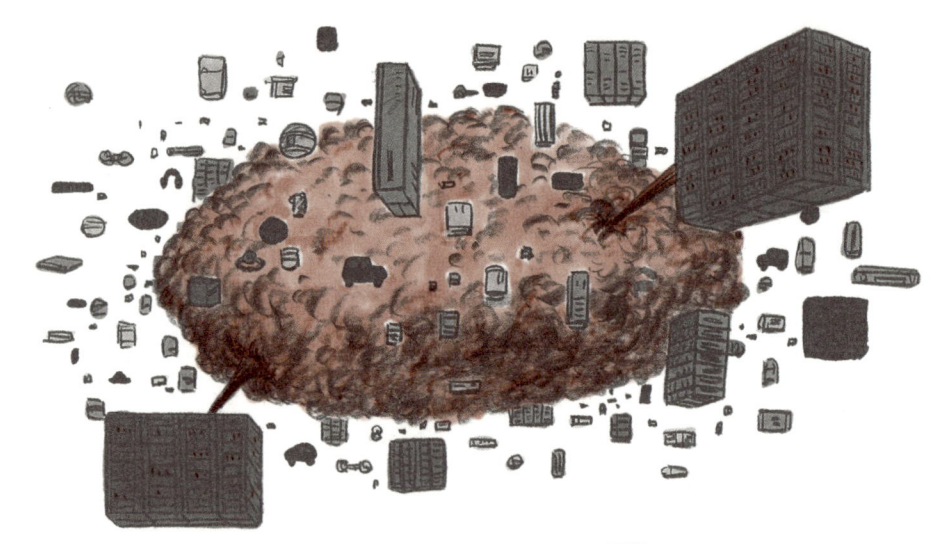

ふくそう制御「モコモコは元気かな？」

　ホログラムは、スーパー・コンピュータどうしの数のやりとりを映しています。ところが、モコモコが混みあってきて、相手の返事がとどこおりがちになってきました。こんなときは、モコモコが混みあっているのだから、少しだけ送るようにします。モコモコが混みあっていなければ、たくさん送るようにします。モコモコをとおして数の情報を送っているみんなが、そうやってモコモコの状態を気にしながら、みんなでうまくモコモコを使えるようにくふうするのです。
　「モコモコは元気かな？　と気をつかいながら送るのがふくそう制御だよ」
　電話網のようなネットワークでは、まんなかががんばって通信の道筋を確保するので、両はしにいる電話機は、ふくそうのことを気にする必要はありません。
　インターネットでは、はしにつながっているみんなが頭がよくて、自律的[注5]に動いています。ですが、けっして好き勝手に動いているのではなく、協調して、みんなのためになるようにしているのです。

5-3 中心がなくてもだいじょうぶ

中心がないのが不思議の国

「なるほど、わかってきたよ。もし、電話網のように、まんなかががんばる仕組みでインターネットをつくろうとしたら、とんでもなく高くなるし、いまのインターネットみたいな規模のネットワークは、そもそもいつまでたってもできなかったかもしれないね。まんなかががんばらないようにしているから、インターネットをつくることができたんだね。それは不思議の国の考え方とまったくいっしょだよ」

どうやら、不思議の国とインターネットには共通点があるようです。

「そもそも、どうして不思議の国なんていう名前になったんですか？」

「ぼくたちはべつに不思議だとは思ってないのさ。でも、よほど不思議なことらしいよ、中心がないということは」

そのひとつの例として、不思議の国には首都がないというのです。

「あっちゃんこたち、不思議の国の歌を聴いたよ」

あっちゃんこは、どうぶつえん駅で聴いた歌がとても印象に残っていました。

「不思議の国の歌？」

叔父さんは、ああ、と思いあたったようです。

「『どこでもインターネット』ってやつかい？」

叔父さんがさわりを歌うと、3人組は口ぐちにそうだと言いました。

「国歌はね、月替わりで決めているんだ。オリンピックなんかのとき、国歌がないとほかの国とあわなくなるからね。ぼくが気に入っているのでは、こんなのもあったよ」

[注5]……自律とは、ほかからコントロールされたり、ほかからの指示にしたがうのではなく、自分で決めたルールにしたがって動くことです。

叔父さんは歌いだしました。ちょっとロックンロール調です。

王様はいらない	We reject kings,
大統領はいらない	presidents
多数決もいらない	and voting.
だいたい合意があればいい	We believe in rough consensus
動くプログラムがあればいい	and running code.[注6]
：	

ケンチャは愕然としました。なんてアナーキー[注7]な歌なんでしょう。王様も、大統領もいなくて、おまけに多数決ではものごとを決めないなんて、不思議の国の政治の仕組みは、いったいどうなっているのでしょうか。

あっちゃんことパピーちゃんは、叔父さんの歌にあわせてからだをゆらしていました。

自律、分散、協調

「みんながここへ来るのに乗ってきた電車も、何度か乗りかえをしたよね。うーんと、クネクネ線と、それと、地下鉄も使ったよね」
叔父さんがそう言うと、3人組はうなずきました。
「クネクネ線と地下鉄は、べつべつの会社が運営しているよ。このあたりの鉄道網全体を所有しているオーナーというのはいないんだ」
鉄道網では、それぞれの路線が、それぞれの考え方にしたがって運営されています。急行や特急や、指定席やグリーン車など、提供するサービスも異なりますし、料金の体系もちがいます。それでいて、乗りかえ駅があるので、人びとは乗りかえて、どの駅にもたどり着けるのです。新しい鉄道ができると、その鉄道会社も、自分たちで決めた新しいサービスを提供するのですが、全体としてみれば、鉄道網がさらに広がって、

行ける場所が増えるということになります。

「国全体が、そういう考え方で運営されているのが不思議の国なんだよ」と叔父さんは説明しました。

「インターネットもテツドーモーみたいなんだよ」

あっちゃんこが、インターネットごっこを思い出して言いました。

インターネットも鉄道網と同じように、分散したネットワークが自律的に運用されています。インターネット全体のオーナーはいません（王様も大統領もいないわけです）。会社が運用しているネットワークや、学校が運用しているネットワーク、インターネット・サービス・プロバイダが一般の人びとに提供しているネットワークなど、ひとつひとつのネットワークが、それぞれの考え方にしたがって運用されています。それらが相互に接続されているのがインターネットなのです。新しいネットワークができて、乗りかえ駅となるコンピュータにつながると、そのネットワークもインターネットの一員となり、インターネットをとおしてたどり着けるコンピュータが増えることになります。

「なるほど。鉄道網とインターネットは同じなんだね」

叔父さんはしきりに感心していました。

[注6]……この歌の歌詞は、1992年に神戸で開催されたインターネットについて話しあうINET92という国際会議で、David Clarkという人が言ったことばです。インターネットでの通信の取り決めは、みんなのだいたいの合意を得たうえで、じっさいにつくって、動いたものにしたがう、という考えを示しています。

[注7]……アナーキー（anarchy）とは、無政府状態とか、無秩序という意味です。

●純ちゃんコラム

インターネットの成り立ちの話

重要な3つの技術

インターネットの成り立ちをふり返ると、重要な技術が3つあったと思います。それは、LANの技術であるEthernetと、広域ネットワークの技術であるARPANET、そして、人間とコンピュータをつなぐオペレーティング・システムの技術であるUnixです。

最初に出てきたのはARPANET（1969年運用開始）でした。ARPANETはコンピュータを結ぶ広域なネットワークですが、パケット通信にこだわりました。

つぎに、Unix（1969年開発）というオペレーティング・システムが出てきました。これにより、コンピュータが人間の道具として生まれ変わりました。

最後に出てきたのがEthernet（1976年発表）です。これは、1本の電線にたくさんのコンピュータがつながっていて、でも1対1で話せるという仕組みです。これは、ものすごくわかりにくい話で、あたかも、ひとつの教室のなかで全員が大声でしゃべっているのですが、ひとりひとりに注目すると、それぞれ相手がいて、1対1でしゃべっているようなものなのです。

じっさいに教室のなかで全員がいちどにしゃべったらうるさく感じますが、それは、つまり通信がぶつかっているということです。ぶつかったら送れません。ぶつからないように、ある瞬間に相手にだけ聞こえるように、少しだけしゃべります。これを細かくやると、隙間隙間に入って、じつは相手を見つけてふたりでじっくりしゃべることが、教室中でできるのです。ときどき、ぶつかってもやりなおせます。デジタル情報は完全な複製がつくれるので、だめだったらもういちど送りなおせばよいという、おおらかな運び方ができます。そうやって、1本の電線にコンピュータ100台でもつないで話せるのです。

それまでの通信は、あなたとわたしのあいだに専用の線を1本とおしましょう、ということをしていました。ところがEthernetでは、みんなで電線を共有して、

うまくいかなかったらやりなおすという、おおざっぱでいいかげんな仕組みで、とても安く、高速なデータ通信を行なうことが可能になったのです。

これら3つの技術が出そろって、1980年代のはじめに融合しました。つまり、LANができあがり、それを結んだ広域ネットワークができあがり、それぞれのコンピュータがデジタル情報を人間のために使うようになったのですが、それによってインターネットが世界に広がったのです。

自律・分散・協調的な発展

さて、インターネットのはじまりのころ、世界にはさまざまなネットワークがありました。アメリカにはARPANETがあり、UUNETがあり、日本にはJUNETがあり、イギリスにはJANETがありました。そして第2の ARPANETとも言えるCSNETが、これらをぜんぶつないで、おたがいに電子メールや電子掲示板でのやりとりができるようになりました。当時は、ある標準の形式ではなくて、中継できればよいという考え方でした。

CSNETは、当時のネットワークをぜんぶ連結してひとつのネットワークにしたのですが、使っている技術もバラバラで、相手を指定する方法もバラバラで、それでも電子メールは動き、掲示板も動いていたのです。

でも、もっと先のことを実現するためには同じ方式を使おう、ということで、ARPANETが使っていた方法をみんなが使うようになりました。しかし、そんなものは、じつはなくてもよかったのです。できたからこそ、ここまで来たのですが、なくても電子メールと掲示板は使えました。

ふたたび鉄道モデルで考えると、鉄道網はだれのものでもないし、ひとつの会社のものでもありません。それぞれが自分の役割をはたして、それがつながったのでひとつのネットワークとして使えますが、それぞれの路線は自律していて、分散して動いています。そこに調整する機能がやがて生まれ、協調していきます。たとえば、共通に使えるプリペイドカードが生まれて、便利になります。

世界の人びとを尊重しながらでなければ、世界全体でなにかを動かすことはできません。たとえば、地球の環境を守るということは、自律・分散・協調でないとできません。インターネットが地球全体をつつんで、自律・分散・協調で動いたことではじめて、人類はそれが可能だと知ったと言えると思います。インターネットの歴史が進んでいくなかで、現実性がでてきたのです。

第6章

どこにでもある

不思議

6-1　インターネット自動車

雨です

「あはっ！　ワイパーがおどってるよ！」

ポンポコ駅を出たときには晴れていた空も、いまは暗い雲におおわれていて、大粒の雨が降っています。叔父さんの車のワイパーも休みなく動いています。

あっちゃんこには、カー・ラジオから流れる音楽にあわせて、ワイパーがおどっているように見えたのでした。同じように両手をふって楽しそうです。

パピーちゃんもワイパーの動きにあわせてしっぽをふっています。

ケンチャの目のまえにあるカー・ナビゲーション・システムの画面がときどき切りかわって、ガイネン地方のお天気情報を映しだしています。コンピュータ・グラフィクスで描かれた雨雲がしだいに小さくなって、天気が回復に向かっているのがわかります。

あっちゃんこたちを乗せた車は、幹線道路をおりて、市街地に入ってきました。それにあわせて、お天気情報のほうも市街地を拡大して映すようになりました。道ぞいに並んだ円柱の高さが、棒グラフのように雨の強さを表しています。

ケンチャはそれを見て不思議に思いました。お天気情報としては、たいへん細かいものですし、道路にそって情報が表示されているというのも妙です。

ケンチャがそれについて叔父さんに聞こうとしたとき、車が坂道にさしかかりました。

不思議の国のあたりまえは、みんなの不思議!?

そのとき、まえのほうを走っている車がスリップするのが見えました。するとすかさず、ピロロン、という音とともに、叔父さんの目のまえ

にある速度計のしたに「スリップ注意」というランプがつきました。
「道がすべりやすくなっているみたいだね。まえを走っている車が教えてくれたよ」
叔父さんはそう言って、慎重に車を走らせました。
どうやら、不思議の国では、車どうしもインターネットでつながっているようです。叔父さんの車は（そして不思議の国を走る、すべての車は）、なんとインターネット自動車だったのです。
「この車は、インターネット自動車なんですね！」
ケンチャが興奮ぎみに言いました。
「インターネット自動車？」
叔父さんには、その言いまわしがピンとこないようです。不思議の国の自動車は、ぜんぶインターネットにつながっているのですから、わざわざインターネット自動車というよび方はしないのです。
あっちゃんこやパピーちゃんも、自動車がインターネットにつながるのは不思議だと思ったのですけど、叔父さんにとってはあたりまえのようでした。
「不思議の国のあたりまえは、みんなにとっての不思議なのね」
「だから不思議の国なの」
「そっかあ」
どうやら、叔父さんにとってはあたりまえでも、3人組にとっては不思議なことが、いっぱいありそうです。
「そうだ、あっちゃんこ。探検隊の出番だよ」
あっちゃんこは、探検隊の隊長として活躍できるので大はしゃぎです。
「不思議の国のあたりまえ、探検しまあす！」
あっちゃんこが高らかに宣言しました。
「うん、あたりまえを探検しよう！」
「あたりまえを探検するの！」
みんなは不思議の国のあたりまえをどんどん見てやろう、と意気ごん

でいます。
「これはまいったな、質問ぜめにあいそうだ」
叔父さんは笑いながら運転を続けました。

情報を捨てない自動車

「そうだ。叔父さん、このお天気情報ですけど、雨の強さって、どうやって測ってるんですか?」

道ぞいに雨の強さが表示されていることから、道路か車から情報を集めていることにはまちがいないと、ケンチャは思っていました。インターネット自動車のことだから、車に雨量計がついているのかな、とケンチャは思ったのです。

「ああ、それはね、これなんだよ」

叔父さんが指さしたものを見て、3人組は声をあわせておどろきました。

「ワイパー!?」

ワイパーを動かすと、その強さの情報が強、中、弱の3段階でまわりの自動車に伝えられます。その情報は、車の位置の情報とともに集めら

れて、それぞれのカー・ナビゲーション・システムの画面に雨雲の形となってあらわれるのです[注1]。

　この方法を使うと、車が集まるところでは、ワイパーの動きの情報がたくさん集まるので、お天気情報の精度があがります。車の集まるところには、人が集まっていて、人が集まるところでは天気の細かい情報が役に立ちます。だから、この方法は理にかなっていると言えます。

「そうか、これはメリーゴーラウンド方式の交差点と同じだね」

　叔父さんはなにかに気づいたようです。

「ワイパーの強さというのは、雨の量を直接測っているのではなくて、雨の強さに対する人間の反応だよね。運転手が自分の判断でワイパーの強さを決めるんだけど、その情報を集めると、雨雲の形になる。それってやっぱり、『自分たち、ひとりひとりが主役』ってことだよね」

　ワイパーの強さのように、その車の運転手が生みだしている情報は、これまでは使われずに終わっていました。その情報を捨てずに、みんなの車から集めてみたら、正確に、とっても細かな精度で雨雲の形がわかったり、いろいろなことについて知ることができるようになったのです。

ふつうの自動車が数万台集まると、すごいことになる

　ワイパーの動きのように、いろいろな情報を車が見はったり、ほかの車から集めてきた情報を集計したりするためには、車のコンピュータが働いて、計算しなければなりません。情報が人間の役に立つ時間内に計算が終わらなければ意味がないので、その時間内で十分に計算ができる

[注1]……不思議の国で起きていることの多くは、この物語の外の世界では未来のお話です。しかし、インターネット自動車については、みなさんの先輩たちがさかんに研究を進めていて、じっさいに、ワイパーの強さの情報を集めて雨雲の形を描きだすことに成功しています。これは、名古屋市などで実験されており、いまではタクシー会社がじっさいに利用しています。

ていどの能力があるコンピュータを車に搭載します。でも、情報はいつでも均等に生まれているのではなく、コンピュータには、いそがしいときと、ひまなときがあります。どちらかというと、ひまなときのほうが多いのですが、いそがしいときにあわせた能力があるコンピュータでないと役に立ちません。いざというときにすばやく反応しなければならないので、ふだんは計算時間があまっています。つまり、コンピュータが休んでいる時間があるのです。

　不思議の国では、そのあまった計算時間も捨てずに利用することを考えつきました。大がかりな計算を、小さないくつもの部分に分けて、走っている自動車に配って計算してもらって、その結果を返してもらうのです。車はたくさんあるので、少しずつでも、あまった計算時間を集めると、その結果は膨大になります。ガイネン地方には数万台の自動車がありますが、その計算能力はスーパー・コンピュータに匹敵するほどなのです[注2]。

　「あまった計算時間を使って、車どうしで情報を交換しながら協力して計算することで、天気予報もできるんだよ」

　天気予報は、スーパー・コンピュータ級の計算能力を必要とする問題のひとつです。

　叔父さんが表示を切りかえると、カー・ナビゲーション・システムの画面に明日の天気が映しだされました。明日は快晴のようです。

⑥-② 不思議の国の子どもたち

不思議の国には、放送局がない

　「あっちゃんこのうちでは、ママはテレビで天気予報を見てるよ」

　あっちゃんこは、なぜかもじもじしながら言いました。

　「これはテレビなの？」

　「ううん、ちがうよ。不思議の国にはね、テレビはないんだよ」

「ええっ！」

あっちゃんこには、テレビがない世界なんて考えられません。もし、テレビがなくて、大好きなアニメが見られないとしたら悲しいことです。

「ごめん、ごめん」

叔父さんは、言い方が悪かったことに気づきました。

「正確には、放送局がないんだ。番組はたくさんあるよ。子ども向けの番組も、いっぱいね」

不思議の国では、ニュースやドラマなどの番組を放送局から流すのではなく、情報が生まれたその場所から直接、その情報を必要としている場所にインターネットをとおして流すことにしているのです。いま、車のなかで流れているカー・ラジオの音楽も、放送局からではなく、叔父さんの好きなDJが選曲して、自宅のスタジオから流しているのだといいます。不思議の国では、放送の世界にも中心がないのでした。

公園へ

いよいよがまんできなくなったあっちゃんこが言いました。

「あのね、おちっと……」

ケンチャとパピーちゃんは、びっくりして叔父さんに車をとめるようにたのみました。「おちっと」というのは、あっちゃんこのことばで、おしっこのことなのです。

[注2]……2003年現在、じっさいにこの考え方を使って、インターネットにつながったたくさんのパソコンのあまった計算時間を集めて、スーパー・コンピュータ級の計算をするプロジェクトが、いくつも行なわれています。そのなかのひとつ、SETI@home（http://setiathome.ssl.berkeley.edu/）は、電波望遠鏡がキャッチした電波を解析して、地球の外に知性が存在する証拠を探そうというプロジェクトです。SETI@homeは世界中の何百万ものパソコンのあまった計算時間を使っていて、たくさんの計算をいちどにできるので、その計算の速さは世界でいちばん速いスーパー・コンピュータと同じか、それ以上なのです。

「それはたいへんだ」

家までまだ距離があるので、叔父さんは公衆トイレのある公園のわきに車をとめました。雨はすっかりやんでいて、ぬれた道路が午後の光に照らされて輝いています。

みんなが車からおりると、「あ、先生だ！」という声がしました。

向かいがわの歩道を、傘を持った子どもたちが歩いています。

「先生、こんにちはー！」

そのなかの何人かが叔父さんに向かって手をふりました。

「やあ」

叔父さんも手をふります。

みんなは、叔父さんは不思議の国で学校の先生をしているのだと思いました。

「あっちゃんこ、ひとりでできるからだいじょうぶだよ」

あっちゃんこはそう言うと、もじもじしながら女の子のトイレのほうに走っていきました。

学校はインターネットのうえにある

ケンチャは、叔父さんの仕事のことを聞いてみようと思いたちました。

「叔父さん、学校はどんなふうなんですか？」

「学校？」

叔父さんは意外な答えを返しました。

「不思議の国には、決まった学校はないんだ。子どもたちは、好きなときに好きな場所で友だちといっしょに勉強するんだよ。もちろん、インターネットを使ってね。強いて言えば、学校はインターネットのうえにあるんだ」

お父さん、お母さんの外国への出張についていって、ほかの国からインターネットをとおしていっしょに勉強している子もいるといいます。病気やケガで、病院のベッドに寝かされている子も、インターネットの

うえの学校では友だちといっしょです。
「先生は、街のおとなみんなさ。それぞれ得意なことを子どもたちに伝えるんだ」

みんなで教えて、みんなが教わる

「叔父さんは学校の先生じゃないんですか？」
「ぼくが？」
叔父さんは笑いました。
「ぼくは職人さ。大工なんだ。それと、家の設計をしたりもするよ」
叔父さんは、すてきなデザインの家をたてるのが得意な、人気の大工さんでした。
「ぼくも、週2回、決まった時間に子どもたちを教えているんだ」
叔父さんは、図画工作を教えたり、あるいは住居と人間とのかかわりあいというテーマを体系だてて、年齢と理解度にあわせて教えていくのだといいます。
「でも、教えるためにどこかに行くというのではなく、仕事場から授業をしているんだよ」
不思議の国ではインターネットを用いたビデオ電話が普及していて、放送局がないかわりに、どこからどこへでも映像をとおして伝えたいことを伝えることができるのです。授業では、たくさんの地点を結ぶビデオ電話会議の機能を使って、いろいろな場所へ同時に授業の内容を伝えます[注3]。

[注3]……インターネットを使った遠隔授業は、大学のような高等教育ではすでにさかんに行なわれています。その例として、SOI : School of Internet（http://www.soi.wide.ad.jp/）があります。SOIでは、授業をじっさいに行なっている慶應義塾大学などの教室から映像を送り、ほかの大学や、職場や、家庭などで、自由に授業を受けることができます。その大学の学生かどうかは関係ありません。授業を聞くだけでなく、レポートを提出して、採点してもらうこともできます。

「同時に、ぼくじしんも社会学という学問に興味をもっていて、授業を受けているんだ。たがいに教えあうことが、この国を形づくっている基盤なんだよ[注4]」

おとなになったあっちゃんこ？

　そのとき、あっちゃんこがトイレから出てきて、叔父さんたちのほうに向かって歩いてきました。
「みなさん、お待たせいたしました」
　あっちゃんこは、そう言ってペコリとおじぎをしました。
「へえ、ずいぶん、おとなになったね、あっちゃん」
　みんなは、あっちゃんこのしゃべり方が変だと思ったのですが、叔父さんがそう言うので笑いました。あっちゃんこもニコニコしています。
　みんなは車に乗りこんで、ふたたび出発することにしました。

もうひとりのあっちゃんこ

　このとき、叔父さんも、ケンチャも、パピーちゃんも、まさかふたりのあっちゃんこがいるとは思っていませんでした。
　叔父さんの車が走りだした、ちょうど、そのときです。トイレから、もうひとりのあっちゃんこが手を洗って出てきました。叔父さんの車に乗っているあっちゃんこと、いま、トイレから出てきたあっちゃんこ。ふたりのあっちゃんこのうち、どちらかがニセモノです。
　「あーっ！」
　トイレから出てきたあっちゃんこは、叔父さんの車が走っていくのを見て、声をあげました。
　「待って！」
　あっちゃんこには、なにが起こったのかわかりません。あわてて追いかけたのですが、あっちゃんこが走っても、走っても、追いつくことはできません。叔父さんの車はどんどん遠くなっていきます。
　「待って！」
　そしてとうとう、叔父さんたちは気づかずに行ってしまいました。

あっちゃんこ、ひとりぼっち

　「わーん」
　あっちゃんこは泣きだしました。
　「ケンチャ！　パピーちゃん！　叔父さん！」
　大粒の涙がポロポロこぼれています。
　「ママー！」
　あっちゃんこは、知らない場所で、ひとりぼっちになってしまったの

[注4]……SOIは、仕事をもっている人たちや、仕事を引退した人たちなどにむしろ好評です。そういう人たちの、人生の経験をいかしたレポートは、学生たちにとって、おおいに参考になっています。ここでは、たがいに教えあうことが実現されているといえます。

です。
「あっちゃんこ、叔父さんの家に行くんだよ。でも、どうやって行くのか、わからないよ。みんな、どうして先に行っちゃったの？」
　そのとき、不思議な気配とともに、後ろから声がしました。
「おやおや、迷子のお嬢ちゃんかな？」
　あっちゃんこがふり向くと、そこには電動車いすに乗ったおじいさんがいました。

⑥-③ どこでも、だれでもインターネット

スットコホルム氏登場

「泣いているのかい？」
　サングラスをして、左手に重々しい手袋をしたおじいさんは、あっちゃんこよりもずいぶんとうえのほうを見ている感じでした。
「おじいさん、どこを見ているの？」
「わたしは目が見えないんだよ」
「ごめんなさい……」
「いや、いいんだ。目は見えないけど、わたしには、かわりのものがある」
　おじいさんはそう言いながら、あっちゃんこのほうを探るようにして顔をさげました。
「ふむ、お嬢ちゃんは、この国の住人ではないね」
「うん、あっちゃんこ、穴に落ちたの。そしたら、風車のところにいたの」
　あっちゃんこは、泣いている理由をおじいさんにうちあけました。
「でね、ケンチャもパピーちゃんも、叔父さんもいなくなっちゃったの」
「そうかい」

おじいさんは車いすをあっちゃんこに近づけると、右手をさしのべました。
　「わたしといっしょにおいで。お友だちを探してあげよう。わたしはスットコホルムだよ」
　「あっちゃんこは、んーと、あっちゃんこだよ」
　おじいさんは悪い人ではないみたいだし、とても助けてほしかったので、あっちゃんこはおじいさんについていくことにしました。

スットコホルム氏の不思議な自動車

　スットコホルムと名乗るおじいさんは、あっちゃんこの手を引いて、車いすをゆっくりと走らせました。
　「スットコおじいさん」
　スットコホルムという名前は、あっちゃんこにはむずかしかったようです。
　「あっちゃんこ、ケンチャやパピーちゃんや叔父さんと、また会える？」
　「きっと会えるよ」
　ふたりはスットコホルム氏の車のところまで来ました。スットコホルム氏は手さぐりであっちゃんこをチャイルド・シートに乗せると、自分は広い運転席に車いすごと乗りこみ、ハンドルのわきのボタンを押しました。ブーン、という音がして、車のモーターが回りはじめます。
　「スットコおじいさん、目が見えないのに運転できるの？」
　「わたしは運転しないよ」
　スットコホルム氏がそう言うと、ひとりでにハンドルが回って、車が動きだしました[注5]。

■ [注5]……このような自動運転車の研究も、すでにはじまっています。

入れかわりに気づく

　そのころ、叔父さんの車のなかでは、パピーちゃんが異変に気づいていました。クンクンと、あっちゃんこのにおいをかいだパピーちゃんは、首をかしげて言いました。
「あっちゃんこのにおいがしないの……」
　そう言われて、ケンチャも変だと思いました。考えてみれば、あっちゃんこがこんなにおとなしいはずがありません。同じことを、叔父さんも感じていました。
「きみはだれだい？」
「わたくしはあっちゃんでございます」
「あっちゃんこが自分のことをあっちゃんてよぶなんて、変なの！」
　叔父さん、ケンチャ、パピーちゃんの3人は、たいへんなことが起こっていることにようやく気づきました。
「この女の子は、あっちゃんこじゃないの！」

スットコホルム氏の不思議な家

　叔父さんの車のなかで大騒ぎが起きているころ、あっちゃんこを乗せたスットコホルム氏の車は、1軒のすてきなデザインの家に着きました。
　スットコホルム氏の車いすに続いてあっちゃんこが家に入ると、ひとりでに家のなかの灯りがともりました。あっちゃんこはスットコホルム氏に連れられて、ダイニングテーブルのいすに腰かけました。
「あっちゃんこ、ココアを飲むかい？」
「うん。ありがとう、スットコおじいさん！」
　あっちゃんこはココアが大好きでした。
「でも……おじいさんひとりでつくれるの？　あっちゃんこがお手伝いできればいいけど……」
　いつもお母さんにつくってもらっているので、あっちゃんこにはココアのつくり方はわかりません。

「たしかに、わたしがひとりでココアをつくるのは、たいへんかもしれないね」
　スットコホルム氏は、車いすをキッチンのほうへ走らせました。
「でも、まあ見ていてごらん。魔法のキッチンが手伝ってくれるからね」
「魔法のキッチン？」

不思議な家の魔法のキッチン
　スットコホルム氏はうなずいて、車いすの手すりのわきについている片手用のキーボードをたたきました。
「キッチンに、わたしがココアをつくろうとしていることを伝えたよ」
　それからスットコホルム氏は、左手で空中をなでるようにしました。
「ふむ」
　スットコホルム氏が冷蔵庫を開けると、なかの仕組みが動いて、牛乳のボトルが手前の取りやすい位置に移動しました。天井からつりさげら

れているフライパンや鍋なども順ぐりに移動し、ミルクパン[注6]がいちばん手前にきて、スットコホルム氏が取れる位置まで下がりました。スットコホルム氏がミルクパンをコンロのうえに置くと、ひとりでにスイッチが入って、弱火になりました。そして、コーヒーや紅茶の容器がのっているターンテーブルがくるりと回って、ココアの缶がいちばん手前にきました。調味料も、砂糖のいれものがスライドしていちばん手前にきます。スットコホルム氏の行動を先まわりするようにして、いろいろなものがひとりで動いていくのです。

スットコホルム氏がミルクパンに少量の牛乳と、ココアパウダーと砂糖を入れて、なめらかなペースト状になるまで練り終わったころ、コンロは中火になりました。スットコホルム氏は、牛乳を少しずつ加えながらよくかき混ぜました。

「あっちゃんこには、赤いカップがいいかな」

スットコホルム氏はそう言うと、食器棚から赤いマグカップを取りだしました。そして沸騰する直前にミルクパンを火からおろすと、マグカップにココアを注ぎました。牛乳も、ココアパウダーも、まったくこぼさずにココアを完璧につくり終えたスットコホルム氏は、ダイニングテーブルにコースターを置き、そのうえに温かいココアの入ったマグカップを置きました。

「熱いから気をつけて飲みなさい。このココアの温度は75℃だよ」

「うわー！」

　あっちゃんこはびっくりです。

「スットコおじいさんは、いつもそうやってココアをつくってるの？」

「いや、たしか……」

　スットコホルム氏は、しばらくなにかを思い出すようにしていました。

「ふむ、わたしがココアをつくったのは、これが初めてだよ」

「んがも！」

魔法のキッチンの仕組み

　スットコホルム氏は、魔法のキッチンの仕組みをかんたんに説明しました。不思議の国では、あらゆるものにRFIDタグ[注7]がついていて、番号がわりふられています。キッチンは、その番号を読みとって、その物体がなんなのか、インターネットで問いあわせて、ココアのレシピも

[注6]……ミルクパンは、牛乳をわかしたりするために使う小さな片手用の鍋です。
[注7]……RFIDタグは、Radio Frequency IDentification（電波による物体識別）で物体を識別するためのタグです。タグには個別に番号がわりふられており、その番号を電波で読みとることにより、タグのつけられている物体を識別します。RFIDは、これからバーコードのかわりとして、商品を識別するために広く用いられていくことが期待されています。RFIDは電波を用いるので、バーコードとは異なり、あるていど離れたところにある物体でも識別できることと、商品名だけでなく、1個1個の商品を区別して認識できるという特長があります。

インターネットで問いあわせて、最適な道具や材料や調理方法やそのタイミングをスットコホルム氏に教えてくれたのです。

その情報は、左手の手袋をとおしてスットコホルム氏に伝えられました。スットコホルム氏の手袋は、点字グローブといって、さまざまな情報を点字になおして、指先に伝えているのです。点字グローブにも、RFIDタグの番号を読みとって、インターネットで問いあわせる仕組みがついています。これにより、手にしたものがなにかがわかります。この仕組みを使って、スットコホルム氏は食器棚から赤いマグカップを選んで取りだすことができたのです。

スットコホルム氏の車いすにも、RFIDタグの番号を読みとる仕組みがついています。サングラスには、顔の向きを読みとるセンサーがついていて、車いすが問いあわせた情報をもとに、スットコホルム氏の目のまえにあるのがなんなのかがわかるようになっています。そして、スットコホルム氏にとっては、サングラスや車いすや手袋が、不思議の国のみんなが持っている小型コンピュータの役割をはたしているのです。

「でも、スットコおじいさん、魔法のキッチンがひとりで動くんだったら、ココアもひとりでにつくれるようにすれば、もっと便利じゃないの？」

あっちゃんこは、魔法のキッチンは、もっと魔法のようになれるのではないかと考えました。

「そうしたら、わたしは主役ではなくなってしまうよ」

スットコホルム氏は、冷蔵庫からビールの缶[注8]を取りだしながら言いました。

「わたしは、キッチンの主役でありたいんだ。わたしは、料理にチャレンジしたいんだよ」

あちこちにある不思議

スットコホルム氏はビールを飲んで、少し上機嫌になって言いました。

「キッチンや車いすだけでなく、この国では、いろいろなものに小さなコンピュータが入っていて、インターネットをとおして助けあっているんだよ[注9]。トイレにも、お風呂にも、コンピュータが入っているんだ。この家だけでも1000個くらいのコンピュータが使われているかな」

あっちゃんこは、10より大きな数のことはよくわかりません。でも、すごいことになっているらしいことは、なんとなくわかりました。

「それは、この国ではあたりまえのことなんだ。わたしの家が特別なのではなく、どの家もそうなんだよ[注10]」

あっちゃんこは、インターネットの不思議、探検隊の隊長として、不思議の国のあたりまえを探検していることを思い出しました。そのことをスットコホルム氏に伝えると、つぎのように、不思議の国の成り立ちのお話をしてくれました。

「不思議の国はね、わたしのような年寄りが集まってつくった国なんだ。もちろん、若い人たちもいるし、子どもたちもたくさんいるんだけどね。世界中の、歳をとって、仕事を引退した人たちが、試しに新しい社会をつくろうじゃないか、ということではじめたのが、この国なんだよ」

スットコホルム氏は、不思議の国をつくったお年寄りのグループのひとりでした。

[注8]……目の見えない人がこまる問題のひとつに、飲みものの缶が区別できないということがあります。日本では、アルコールの入った缶には点字がついていますが、「おさけ」とだけ書いてあって、ビールとチューハイを区別できない場合もあります。スットコホルム氏は、赤いマグカップを区別できたように、RFIDと点字グローブを使って、冷蔵庫のなかのいろいろな缶のうちから、(たぶん、自分が飲みたい銘柄の) ビールの缶を区別して取りだすことができたのです。

[注9]……このようなことは、最近ではよく「ユビキタス」ということばでよばれています。ユビキタス (ubiquitous) とは、遍在 (広くあちこちにあること) という意味です。

[注10]……地球がぜんぶ、不思議の国のようになったとして、スットコホルム氏の家のように、家のなかの1000個のコンピュータの ひとつひとつにIPアドレスをわりふるとしたら、やっぱりIPv4のアドレスでは足りません。

さらわれた!?

　そのころ、ケンチャ、パピーちゃん、そしてあっちゃんこにそっくりな女の子を乗せた叔父さんの車は、あわてて公園に引きかえしてきていました。もう日が沈みかけていて、薄暗い公園には人影もまばらです。
「あっちゃんこー！」
「おーい、あっちゃん！」
「あっちゃんこ、どこにいるのなの!?」
　3人は手分けしてあっちゃんこを探しましたが、見あたりません。ケンチャは、あっちゃんこにそっくりな女の子につめよりました。
「ねえ、きみは、あっちゃんこがどこにいるのか、知らない？」
「わたくし、なにも存じませんの」
　女の子は、すずしい顔です。
　パピーちゃんは心配になって、ワンワンほえました。
「『ねえさん、だいじなおさらわれた』なの！」
　あわてたパピーちゃんの頭のなかでも、パケットの順序がちがってしまったようです。
「まちがったの。『だいじなおねえさん、さらわれた』なの！」
　あっちゃんこは、パピーちゃんよりもちょっとお姉さんなのでした。

●純ちゃんコラム

インターネットの進化と可能性の話

夢を現実にするテクノロジー

　Journey North［注11］というプロジェクトがあります。南米からカナダまで群れになって北上していく、渡り鳥みたいな蝶がいるのですが、その北上のようすを調べようというプロジェクトです。それまで、この蝶が渡っていくことは知られていたのですが、どのように渡っていくのか、なかなか調べてもわからなかったのです。ところが、インターネットができたので、蝶が北上していくだろう道筋にある小学校に連絡して、「小学生のみなさん、観察してください」とお願いしました。そこで、小学生たちが、この蝶だけでなく、いろいろな動物の渡りについて、季節ごとにみんなで追いかけていくということをはじめたのです。

　すると、小学生の力で、どんな専門の学者が調べてもわからなかった、動物の渡りのようすが、とても細かく、正確に、わかるようになったのです。その土地、その土地の小学生の力を集めたら、どんな専門家よりも力があったということなのです。

　SETI@home（101ページ参照）も、昔は夢でした。世界中のコンピュータの、あまった時間を少しずつ集めたら、すごい計算ができるよね、などと夢で話していたのですが、いまや世界中のコンピュータはインターネットでつながっているので、ほんとうにできてしまうのです。

不思議の国のあたりまえも現実にする

　車のワイパーの強さを集めて雨雲の形を描きだすというのも、少しまえまでは、

■［注11］……http://www.learner.org/jnorth/

すばらしい、けれども実現されていないアイデアのひとつにすぎませんでした。そういうアイデアを、いたるところにちりばめてつくられているのが不思議の国なのですが、もはや夢物語というよりも、この章で描かれている世界の半分くらいは、もうできていると言ってよいかもしれません。
　スットコホルム氏が言うように、どこでも、だれでも、いろいろなチャレンジを考えて、それを追求できるのがインターネットです。そして、インターネットには、わたしたちが思いもよらないような新しい可能性がまだまだたくさんあるはずだと思います。
　そのような可能性を見つけて、それを現実にしていく新しい才能が、この本を読んでいるみなさんのなかから生まれたら、わたしはとてもうれしく思います。

第7章 セキュリティの不思議

7-1 どっちがほんもの?

ふたつの問題

　叔父さんたちは、ふたつの問題をかかえていました。ひとつは、あっちゃんこがいなくなってしまって、もしかしたら誘拐されてしまったこと。もうひとつは、あっちゃんこにそっくりな女の子を連れてきてしまったことです。

　女の子に聞いても、迷子らしく、どこの家の子かわかりません。叔父さんたちは、とりあえず女の子を叔父さんの家に連れて帰ることにしました。

　ケンチャ、パピーちゃん、そしてあっちゃんこにそっくりな女の子を乗せた叔父さんの車が、すてきなデザインの叔父さんの家に到着すると、駐車場にはすでに1台の車がとめてありました。

　「おじいちゃん、家にいるんだ。相談にのってくれるかもしれないな」
　叔父さんは、おじいさんといっしょに暮らしているようです。

叔父さんの不思議な家

　叔父さんの家に入るなり、ケンチャはおどろいて言いました。
　「すごい！　ぼくはこの家のなかのいろいろなものとお話ができるよ」
　「ほんとうなの？　ケンチャ」
　パピーちゃんには、話し声が聞こえません。
　「うん」
　ケンチャは興味深げに家のなかを見渡しました。
　「床も、壁も、窓も、照明も、みんなインターネット・プロトコル（67ページ参照）をしゃべるみたいだよ」
　ケンチャは無線LANで叔父さんの家のネットワークに接続したのです。
　「あれ？　叔父さんは何人暮らしですか？」

「ぼくとおじいちゃんのふたり暮らしだよ」
「天井が教えてくれたんですけど、いま、この家のなかには6人いるって……。叔父さんと、パピーちゃんと、あっちゃんこにそっくりな女の子と、ぼくと、それと叔父さんのおじいちゃんがいるとしたら、あとひとりは？」
「え？　お客さんかな」

再会したのはいいけれど……
　叔父さんたちが家の奥に来ると、あっちゃんこがダイニングテーブルのいすに腰かけて、ココアを飲んでいました。
「あっちゃんこ！」
「ケンチャ！　パピーちゃん！」
　すると、ケンチャたちがかけよるよりも早く、あっちゃんこにそっくりな女の子がとびだして、あっちゃんこのまえに立ちました。
　ふたりのあっちゃんこが向かいあうことになったのです。

ふたりのあっちゃんこ

「んがも！」

あっちゃんこはびっくりです。

「んがも！」

あっちゃんこにそっくりな女の子も、あっちゃんこと同じようにびっくりしてみせました。
「あっちゃんこにそっくり！」
「あっちゃんこにそっくり！」

女の子は、どんどん、ほんもののあっちゃんこのまねがうまくなっていきます。

　あっちゃんこは、どこまで自分とそっくりなのかたしかめるために、女の子のまわりをぐるりと回って観察しようとしました。すると、女の子も同じようにあっちゃんこのまわりを回ろうとして、ふたりはぐるぐる、ぐるぐる、たがいのまわりを回って、どちらがどちらだか、わからなくなってしまいました。ふたりはキャッキャ言いながら、ぐるぐる回っています。

「あっちゃんこはこっちだよ」

「あっちゃんこはこっちだよ」

　ふたりは同時に立ちどまると、ふたりとも自分を指して言いました。もはや、だれにも見分けがつきません。パピーちゃんが近寄ってクンクンとかいだのですが、においまでいっしょなのです。

見破るための質問

　どうしよう。
　みんながこまっていると、ケンチャが名案を思いつきました。
「ここで問題です」
　ケンチャが言うと、みんなが注目しました。
「21ページの、このお話を読んでいるみんなへの問題の答えは？」
　ひとりのあっちゃんこはケンチャの質問にうろたえていますが、もうひとりのあっちゃんこはしばらく考えてから答えました。
「ケンチャの『ち』だよ」
「あっちゃんこ！」
　ケンチャは、どっちがほんものか、またわからなくなってしまわないように、ケンチャ・マジックハンドであっちゃんこの手をがっしりと握りました。あっちゃんこ、ケンチャ、パピーちゃんは、ようやく、もとどおりに3人組になれたのです。
「でも、どうしてあっちゃんこだとわかったの？」
「あっちゃんこにそっくりな女の子は、いまこの場であっちゃんこのふるまいを見て、完璧にまねをしたよね。けど、ひらがなをあてるゲームは、それよりずっとまえの話だから、あっちゃんこ本人しか答えられないと思ったんだ」
「さすがだ、ケンチャ」
　みんなが声のほうをふり返ると、そこには電動車いすに乗ったスットコホルム氏がいました。

スットコホルム氏の陰謀？

「おじいちゃん！」
　叔父さんは、スットコホルム氏がビールの缶を持っているのに気づいて、あきれたような顔をしました。
「もう……またビールを飲んでる」

あっちゃんこは、叔父さんとスットコホルム氏が知りあいのようなので、きょとんとしています。
　叔父さんはスットコホルム氏をみんなに紹介しました。
「この人はぼくのおじいさん、つまり、あっちゃんのひいおじいさんだよ」
「えーっ！」
　あっちゃんこはびっくりです。
「えーっ！」
　あっちゃんこにそっくりな女の子のものまねも、まだ続いていました。スットコホルム氏はその声をたよりに、女の子をまねきよせると、みんなに紹介しました。
「この子はあっちゃんこロボだ。万能モノマネ機械だよ」
「またそんな発明をして！　いたずらがすぎますよ！　みんながどんなにこまったと思ってるんですか！」
　叔父さんはカンカンに怒っていて、スットコホルム氏はバツが悪そうです。

どうやら、あっちゃんこ誘拐事件の真相は、スットコホルム氏が仕組んだいたずらのようでした。
「このままではまぎらわしいね。徹底モノマネモードをクリアしよう」
スットコホルム氏が車いすのキーボードをたたくと、あっちゃんこロボが一転して落ち着いたふるまいを見せるようになりました。
「みなさん、混乱させて失礼いたしました」
あっちゃんこロボはそう言うと、ペコリとおじぎをしました。

なりすましの問題

「さて、インターネットの不思議、探検隊の諸君。あっちゃんことあっちゃんこロボのことで、なにか気づかないかな」
スットコホルム氏が言うと、ケンチャが「あっ」と声をあげました。このことがインターネットのセキュリティ[注1]と関係していることに気づいたのです。
万能モノマネ機械のあっちゃんこロボは、あっちゃんこの服装からにおいまで、完全にモノマネして、ほんものと見分けがつかなくなってしまいました。
同じように、デジタルの世界では、情報がいちど数になってしまうと、その同じ数を使うのはだれにでもできますから、相手がほんものかどうか見分けがつかなくなります。ネットワークの向こうがわにいる人が、自分の知っている人だと思っていても、別人がその人になりすましている可能性があるのです。
そのため、ケンチャがほんもののあっちゃんこしか知らないことを聞いてたしかめたように、その人しか知らないことを聞くという方法が一般に行なわれています。それが暗証番号やパスワードです。

■ [注1]……セキュリティ（security）というのは、安全とか保安という意味です。

モコモコのとちゅうで盗み見られる

　でも、あっちゃんこロボは万能モノマネ機械なので、いちど聞いた秘密はおぼえてしまいます。もういちどケンチャが同じ質問をしたら、あっちゃんこロボも「ケンチャの『ち』だよ」と答えるにちがいありません。

　同じことがインターネットでも起きてしまうのです。パスワードがネットワークをとおって運ばれていくとちゅうで、だれかがそれを盗んでしまうかもしれません[注2]。

　「インターネットには、盗む人がいるの？」

　あっちゃんこは「盗む人」は悪い人だと知っていました。パピーちゃんも、「盗む人」には、ほえるものだと知っています。

　「インターネットはモコモコだよね」

　「そうだよ、インターネットはモコモコしてるの！」

　あっちゃんこは、叔父さんの車のなかで見たホログラムを思い出しました。

　「モコモコのなかではなにが起こるかわからないんだ。お話の内容を盗み見ている人がいるかもしれないんだよ」

　もし、そんな人がいたら、パスワードもおぼえられて、モノマネされてしまうかもしれません。

　みんなが話しているわきでは、叔父さんが小型コンピュータを使って、3人組が明日の朝の飛行機で帰れるように手配をしてくれていました。チケットを買うためにクレジットカードの番号を入力します。

　「クレジットカードの番号も盗まれたらたいへんだよね」

　デジタルの世界で「盗む」というのは、不正にコピーするということです。

　「そうだ、ぼくは夕飯の準備をするよ。ごはんを食べたら、みんなすぐに寝るんだよ。明日は早いからね」

　叔父さんは、食事の準備をするためにキッチンに入りました。

守りたいふたつのこと

　スットコホルム氏は、リビングのソファに3人組を集めて言いました。
「探検隊のみんなに、わたしから問題をだそう」
　スットコホルム氏は白いカードとえんぴつを取りだしました。
「このカードになにか書いてごらん」
　あっちゃんこはお母さんから習ったひらがなで「あっちゃんこだよ」と書きました。
「このカードを、そうだね、ヒュルルン駅からポンポコ駅に運ぶとするよ」
　スットコホルム氏がだした問題は、つぎのふたつでした。

　　1. カードの内容が盗み見られないようにすること。
　　2. カードの内容は見られてもよいけど、書きかえられないようにすること。

　スットコホルム氏は、背中の後ろにかくしていた、鍵穴のついた小さな箱を取りだして言いました。
「この箱を使ってもいいよ」
　スットコホルム氏はそう言うと、箱と、ふたつの鍵をテーブルのうえ

[注2]……そこで、毎回、ちがうパスワードを使う、という考えが生まれました。これをワン・タイム・パスワード (one-time password) とよびます。

に置きました。鍵にはそれぞれ「おおやけ」「ひみつ」と書かれていました。

難問への挑戦

　これはもちろん、なぞかけでした。ヒュルルン駅からポンポコ駅へ運ぶということは、インターネットをとおして運ぶということです。あっちゃんこが「あっちゃんこだよ」と書きこんだカードは、パスワードやクレジットカード番号のような、守りたい情報のことにちがいありませんでした。

　「箱に入れて、鍵をかけて、運べば、見られないよね」

　あっちゃんこは、そう思いました。

　「でも、インターネットではなんでも数で表すの。箱や鍵は、数ではどう表すの？」

　これは難問です。どうやってこの難問を解こうか、3人組が相談しているあいだに、スットコホルム氏とあっちゃんこロボは、静かに扉の向こうに消えていきました。

　それに気づいたあっちゃんこが扉を開けると、そこにはもうだれもいませんでした。あっちゃんこは、しばらく扉の向こうがわを黙って見ていましたが、やがてケンチャとパピーちゃんのほうを元気よくふり向きました。

　「探検隊が探検して、考えようよ！」

　あっちゃんこが言いました。

　「うん、そうだよ、そうしようよ」

　ケンチャが言いました。

　「そうするの」

　パピーちゃんも言って、探検隊の仲間が勢ぞろいです。

　さあ、セキュリティの仕組みの探検です。不思議の国では、これがたぶん、最後の探検になることを3人組は知っていました。

7-2 暗号と秘密

ふたたびパピーちゃん活躍の予感

　たがいに教えあうための仕組みが充実している不思議の国のことです。きっとインターネットのどこかにヒントがあるはずだとケンチャは思いました。

　「隊長！　ケンチャは不思議の国のインターネットの学校を調べてみます」

　ケンチャが言いました。最後なので、できるだけ探検隊っぽい言い方をしてみたのです。

　「うん、いいよ」

　あっちゃんこ隊長は言いました。

　「ボクはどうすればいいの？」

　「パピーちゃんはねえ、うんとねえ」

　あっちゃんことパピーちゃんはこまってしまいました。

　でも、パピーちゃんの出番は、すぐにやってきました。ケンチャがインターネットのうえの学校をWWWで調べて、その教材をダウンロードして取りこんだのです。

　「やっぱり、数を使っていることがわかったよ」

　ケンチャは言いました。

　「パピーちゃんの出番だよ」

シーザー暗号

　インターネットでは、暗号を使って秘密をたもっています。暗号は、箱にカードを入れて、鍵をかけるようなことです。鍵を持っている人しか箱を開けられないように、暗号の解き方を知らない人には内容がわからないのです。

　デジタルに表した情報は、数なので、算数の計算を使ってべつの数に

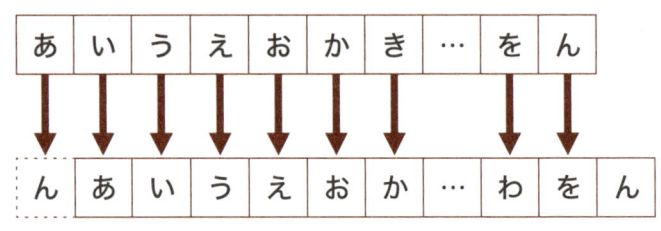

| もとの文字 | あ | い | う | え | お | か | き | … | を | ん |

| 暗号 | ん | あ | い | う | え | お | か | … | わ | を | ん |

1文字前にずらして暗号をつくる
　もとの文字を1文字前にずらして暗号をつくると、「あ」の1文字前は「ん」なので、「あ」は「ん」となります。「い」は「あ」、「う」は「い」のようになります。

したり、もとにもどしたりできます。いろいろな方法を使って、かんたんに暗号をつくれるのです。
　「これは、インターネットでじっさいに使われている暗号とはちがう[注3]けど、シーザー暗号という、かんたんな暗号を使って説明するよ」
　20ページのひらがなの表をもういちど見てください。シーザー暗号をつくるためには、まず文字に順序をつけます。ここでは、「あ」のつぎは「い」、「い」のつぎは「う」のようにします。「お」のつぎは「か」です。そして、「ん」のつぎは「あ」とします。
　そうやって、ぐるりと回る順序を決めたうえで、もとの文の文字を何文字分ずつかずらして書くと、暗号になるのです。暗号を解くときは、同じだけ逆にずらしてもとの文にもどします。
　「それじゃあね、1文字後ろの文字にずらして読む暗号だよ」
　ケンチャはそう言って、パピーちゃんに耳うちしました。
　「わかったの」
　ひさしぶりに、パピーちゃんが文字を数で表します。

　　ワン！　ワン！（あ）
　　ワンワンワンワン！　ワン！（た）
　　ワンワンワンワンワンワンワン！　ワン！（ま）

「『あたま』だよ」
あっちゃんこが答えました。
「これは暗号だよ」
「あ、そっか。えっとねえ……」
1文字ずつ後ろにずらして答えなければならないのです。
「『いちみ』だよ。悪い人の一味なの！」
正解です。
「ちなみに、ふつうに『いちみ』とほえるとこうなの」

　ワン！　ワンワン！（い）

　ワンワンワンワン！　ワンワン！（ち）

　ワンワンワンワンワンワンワン！　ワンワン！（み）

「パピーちゃんのほえた回数が、1回ずつ増えてる！」
あたりまえのことなのですけど、あっちゃんこはびっくりしました。
「ね、シーザー暗号は数を使った暗号[注4]なんだ」

暗号の光と影

「ねえ、ケンチャ。悪い人の一味も暗号を使えるの？」
「うん、使えるよ。そうか、こまったなあ」

[注3]……といっても、インターネットではなにをするかは自由ですから、使いたければシーザー暗号を使えばよいのです。じっさい、一部の電子メールソフトではシーザー暗号を使えますし、電子掲示板では、伝統的にシーザー暗号を使う文化があります。ただし、シーザー暗号は単純な暗号なので、かんたんに破られてしまいます。

[注4]……パピーちゃんがほえるやり方だと、「お」を「か」にするときなどに数が減ってしまうわけですが、桁があがっていると考えれば、やっぱり数は ひとつ増えているのです。「あ」が 0、「ん」が 45 のように順番に数をあてはめると、1文字後ろにずらして読む暗号は、「1 を足して 46 で割ったあまり」のように、ひとつの計算式で書けます。

悪い人の一味も暗号を使えるなら、悪いことの相談も秘密でできることになります。それはよいことなのでしょうか。3人組はこまってしまいました。
　すると、カウンターの奥でスパゲティをゆでる準備をしていた叔父さんが言いました。
　「悪い一味を捕まえようとしている人たちも、暗号を使えば、一味に秘密で相談できるよ。いま、パピーちゃんがほえた暗号は、『一味を捕まえよう』という文の一部[注5]かもしれないよ」
　叔父さんは、野菜を切るのに使った包丁を手にしました。
　「この包丁だって、野菜を切ることもできるし、人を傷つけることもできるよね。技術というのは、道具だから、使い方しだいなのさ。それと、暗号が悪用されるのがまずいからといって、政府がそれをコントロールしたとしたら、もし、政府が悪いことをしたら、ぼくたちには、それをふせぐことができないかもしれないよ」
　政府だからといって、悪いことをしないとはかぎらないのです。
　少なくとも、不思議の国の考え方では、中心にあるなにかがコントロールするようなことはしないということでした。

つくり方・解き方が鍵穴、数が鍵

　3人組は、暗号の探検を再開しました。
　「いま、じっさいに『あたま』と『いちみ』の例で試したように、シーザー暗号は、つくり方の逆のことをすると解き方になるよ」
　1文字後ろにずらして読む暗号は、1文字前にずらしてつくるのです。
　「そして、シーザー暗号では何文字でもずらすことができるよ」
　「でも、何文字ずらしたか教えてもらわないと解けないよ」
　あっちゃんこが言いました。
　「うん、すごいよ、あっちゃんこ。それがシーザー暗号での『鍵』になるんだ」

ケンチャはスットコホルム氏が残していった箱と鍵で説明しました。
「シーザー暗号は、『鍵穴』だよ。その鍵穴を、『1』という鍵でしめたら、その同じ鍵を使わないと開けられないし、『13』という鍵でしめたら、やっぱり『13』という鍵で開けないといけないんだ。だから、相手に鍵を渡さないと暗号は解けない[注6]ということになるんだよ」

⑦-③ ふたつの鍵と、秘密の箱

鍵を送るときの問題

「でも、その鍵はどうやって渡すの？　鍵が数だったら、やっぱりインターネットで送るの？」

これはパピーちゃんの鋭い指摘です。

もし、インターネットで数の鍵を送ったら、インターネットはモコモコなので、とちゅうで盗み見られてしまうかもしれません。見られてし

[注5]……1文字ずらすシーザー暗号でぜんぶを暗号にすると、「あたまわちおほうゆい」となります。
[注6]……このように、同じ鍵を送り手と受け手が共通に用いるような場合、その鍵を共通鍵とよびます。共通鍵を用いる暗号を共通鍵暗号とよびます。

まったら、だれでも暗号が解けてしまうので、見られないようにする必要があります。見られないようにするには、鍵を暗号にして送らなければなりません。相手がその暗号を読めるためには、暗号にするのに使った鍵を送らなければなりません。でも、インターネットはモコモコなので……と、どうどうめぐりにおちいってしまいます。

「パピーちゃん、いいところに気づいたね！」

ケンチャは言いました。

さて、どうやってこの問題を解いたらよいのでしょうか。ケンチャとパピーちゃんはこまってしまいました。

いっぽう、あっちゃんこはさっきからふたつの鍵と箱でなにやら遊んでいます。

「あれれ」

「どうしたの、あっちゃんこ？」

「鍵、開かないよ」

あっちゃんこは、「おおやけ」と書かれた鍵を使って、箱に鍵をかけました。けれども、その鍵を使って箱を開けようとしたら、開かないのです。

あっちゃんこが「ひみつ」という鍵でためすと、箱が開きました。

「そうか！」

ケンチャは、ダウンロードしてきた教材を調べて、このことの意味に

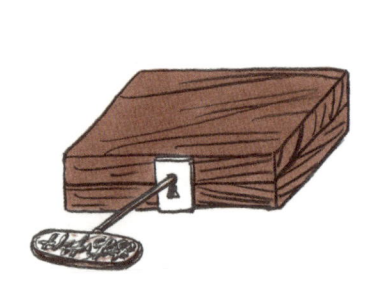

気づきました。

「いま、インターネットで広く使われている暗号では、鍵には2種類あって、『おおやけ』の鍵と『ひみつ』の鍵の両方を使う[注7]んだよ」

ケンチャは、あっちゃんこが偶然発見したスットコホルム氏の箱の秘密を、もういちど試してみました。

「ほらね、暗号にするときは、『おおやけ』の鍵を使うんだ。暗号を解くときは、『ひみつ』の鍵を使わないと、この箱は開かないんだよ」

ふたつの鍵の秘密

じっさいの「おおやけ」の鍵と「ひみつ」の鍵は、両方とも、ある大きな数で、あるむずかしい計算によってセットでつくられます（計算じたいはむずかしくても、プログラムがあるのでだれでもかんたんにつくれます）。これを鍵ペアとよびます。

たとえば、あっちゃんこが鍵ペアをつくったとします。

すると、つぎのページの図のように、みんなはあっちゃんこだけが読める暗号をつくって、モコモコをとおして送ることができるのです。

この方法を使えば、知られてはいけない内容がモコモコをとおることがないので、安全に暗号を使うことができます[注8]。

「でも、その暗号は、鍵を持ってない人が解けたりしないの？ ケンチャが試したら解けない？」

あっちゃんこは、ケンチャはスーパー・ロボットだから、なんでも解けるかなと思ったのです。

[注7]……「おおやけ」の鍵を公開鍵、「ひみつ」の鍵を秘密鍵とよびます。この2種類の鍵を使う暗号を、公開鍵暗号とよびます。
[注8]……ほんとうは、渡された「おおやけ」の鍵が正しいものかどうか、ということをきちんとたしかめなければなりません。「おおやけ」の鍵を渡すときにインターネットのモコモコをとおったら、とちゅうで取りかえられてしまっているかもしれないからです。

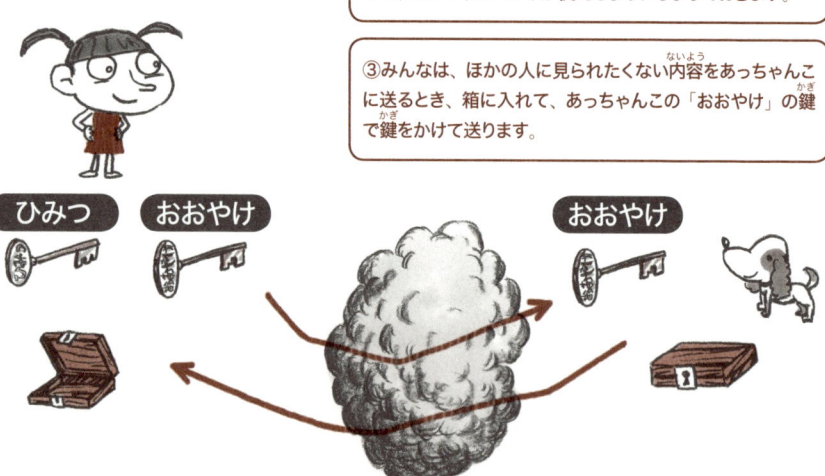

①あっちゃんこは「ひみつ」の鍵と「おおやけ」の鍵のペアをつくります。

②「おおやけ」の鍵は、インターネットをとおして、みんなに渡しておきます。一方、「ひみつ」の鍵は、だれにも見せずに、あっちゃんこだけが使えるようにしまっておきます。

③みんなは、ほかの人に見られたくない内容をあっちゃんこに送るとき、箱に入れて、あっちゃんこの「おおやけ」の鍵で鍵をかけて送ります。

ひみつ　おおやけ　　　　おおやけ

④あっちゃんこの「おおやけ」の鍵で鍵をかけた箱は、あっちゃんこの「ひみつ」の鍵でしか開けられません。あっちゃんこは、「ひみつ」の鍵をだれにも見せずにしまってあります。みんなから送られてきた箱を開けて、内容を見ることができるのは、あっちゃんこだけです。

「たしかに、鍵の候補をひとつずつあてはめていけば、いつかは解けるんだけど、この暗号では、とっても大きい数のどれかを鍵として使うんだよ」

　どのくらい大きいかというと、パピーちゃんが、もしも宇宙の誕生の時点からいままで休まずにほえ続けたとしてもほえきれないくらい、大きな数を、何回もかけあわせたような巨大な数です。ケンチャよりもはるかに計算力のあるスーパー・コンピュータを使って、1秒間に数十億個というおそるべきスピードで試したとしても、鍵が見つかるまでには長い、長い年月がかかるのです。

「ひゃー」

あっちゃんこは、途方もないスケールの大きさに気を失いそうになりました。

書きかえを防げ！

これで、スットコホルム氏がだした問題のひとつめはクリアできました。ふたつの鍵を使った暗号を使えば、パスワードやクレジットカード番号が盗まれるようなことについては防げそうです。

それでは、ふたつめの問題はどうでしょうか。

あっちゃんこが書いた「あっちゃんこだよ」というカードが、モコモコをとおして運ばれていくとちゅうで、だれかが消しゴムで「あっちゃんこだよ」を消して、ほかのことばに書きかえてしまうようなことは、どうしたら防げるでしょうか。

あっちゃんこは、こんどは「ひみつ」と書かれた鍵で箱に鍵をかけました。するとその鍵ではやっぱり箱は開かなくて、「おおやけ」と書かれた鍵を使ったら開いたのです。

「そうか、ふたつめの問題も、ふたつの鍵を使った暗号で解けるんだ！」

ケンチャはそう言うと、さっきの「おおやけ」の鍵と「ひみつ」の鍵の役割を逆にした説明をしました。

「『ひみつ』の鍵を使って暗号にするんだ。そうすると、その暗号を解くには、ペアとなる『おおやけ』の鍵が必要になるんだよ」

電子署名

ここに、あっちゃんこが書いたカードがあります。そして、そのカードをコピーして、「ひみつ」の鍵を使って箱にしまったものがあります。

すると、つぎのページの図のように、そのカードはまちがいなく、あっちゃんこが書いたもので、その内容は変わっていないということを、だれでもたしかめられるのです。

①あっちゃんこは、まず、相手に伝えたい内容をカードに書きます。
それからカードのコピーをつくって箱に入れ、自分だけが持っている「ひみつ」の鍵で箱に鍵をかけます。
そして、最初に書いたカードと、「ひみつ」の鍵で鍵をかけた箱のふたつをいっしょに、みんなに送ります。

②あっちゃんこの「ひみつ」の鍵で鍵をかけた箱は、あっちゃんこの「おおやけ」の鍵でしか開けられません。
あっちゃんこの「おおやけ」の鍵は、みんなに渡してあります。
みんなは、あっちゃんこから送られてきた箱を開けて、カードのコピーを取りだします。そして、送られてきたカードと、箱に入っていたコピーが同じかをたしかめます。

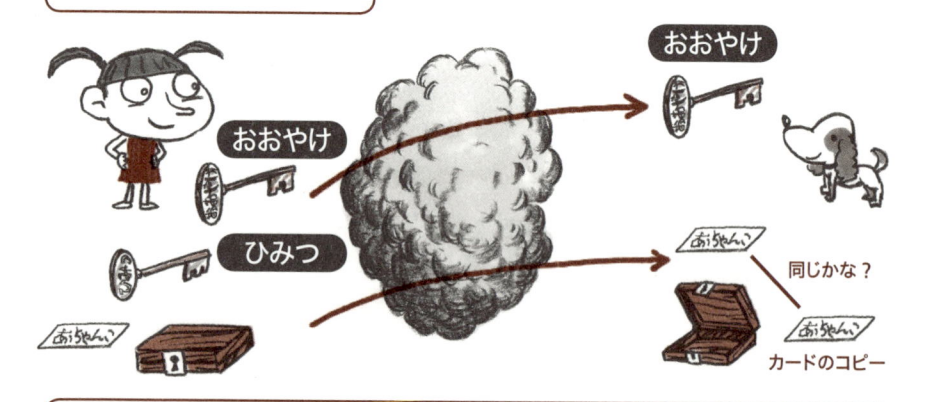

おおやけ
ひみつ
同じかな？
カードのコピー

③もし同じだったら、カードの内容は書きかえられていないことになります。
また、あっちゃんこの「ひみつ」の鍵を使えるのはあっちゃんこだけなので、カードはまちがいなく、あっちゃんこが書いたものだ、ということもたしかめられます。

これが「電子署名」の考え方です。
電子署名を使って本人だということを証明すれば、パスワードを使わなくても、なりすましの問題を防ぐことができます。あっちゃんこロボがどんなに完璧にあっちゃんこのまねをしても、あっちゃんこだけが「ひみつ」の鍵を持っているかぎり、あっちゃんこロボにあっちゃんこの電子署名はつくれないからです。

長い1日の終わり

「いただきます！」
長い1日を終え、あっちゃんこと叔父さんはスパゲティを食べはじめ

ました。パピーちゃんはドッグフードを食べています。ケンチャはあと1か月くらいエネルギーがもちそうなので、だいじょうぶです。

あっちゃんこたちは、今回、プライバシーについては探検しませんでした。たとえば、不思議の国では、インターネットにつながっている車のワイパーの強さを集めて、雨雲の形がわかるようにしています。そのためには、それぞれの車が走っている場所がわかることが必要なのですが、自分の車がいまどこを走っているか、知られたくないこともあるでしょう。

プライバシーの問題はとてもむずかしいのですが、この本を読んでいるみなさんのなかから、この問題にチャレンジしようという人がでてくるかもしれませんので、考えるうえでのヒントを書いておきます。

あっちゃんこがいる場所は、(とくにいたずらをしているときには!) ないしょにしておきたいけど、もし、誘拐されたりしたら、世界中に知ってもらって、探してもらったほうがよいですよね。自分が運転している車の位置は、ふだんは家族にしか知られたくないけれど、もし、車が盗まれてしまったら、世界中に知ってもらって、見つけたら教えてほしいと思うはずです。

プライバシーがどんなふうに守られたいかということは、ときと場合に応じて変化するので、そのことを念頭において、どう実現していくのか、考える必要があります。

さて、食事を終えた3人組と叔父さんは、今夜は早く寝ることにしました。

●純ちゃんコラム

インターネット時代のセキュリティ管理の話

インターネットだから悪いことが起きるのではない

　あっちゃんこの叔父さんも、暗号について同じことを言っていたと思いますが、インターネットは、ほかのいろいろな技術と同じで、けっきょくは人間がどう使うかです。

　インターネットは、よく仮想空間などと言われます。ですが、いまは社会のいろいろな場面で、人間の生活をささえる基盤になっているので、もはや実空間と分けて考える理由はありません。社会のなかで生活しているわたしたちがインターネットを使っていくだけですので、インターネットだから悪いことが起こるのではなくて、わたしたちがどう生きて、どうふるまうかなのです。

　技術を使うことで、どんな悪いことが起きうるかは、わたしたちが社会をつくるうえで考えていかなければなりません。社会に新しい技術が導入されると、それを使った悪さを考える人がいます。自動車を使うようになると自動車を使う悪さ、電話を使うようになると電話を使う悪さを考えだす人がかならずでてきます。インターネットだからといって、特別だと思う必要はありません。

インターネットだから、こうちがってくる

　とはいえ、地球全体が瞬間的につながり、自由にいろいろな情報を交換できるということを利用した、新しい犯罪のかたちはでてくるでしょう。

　ネズミ講［注9］がインターネットでわっと広がる、といったこともでてきます。でも同時に、「これはネズミ講だから気をつけろ！」「ネズミ講にひっかからないようにしようね」という情報を発信する人がいたら、これも広がります。よいことも悪いことも広がります。

　よい情報や悪い情報が流れてくるのは、人間は過去に経験しているので、いつ

でも受けとめることができます。ただし、技術の進歩にともなって、その速度があがったり、量が増えたりするといった変化は感じる必要があり、新しい対処方法を学んでいかなければなりません。

　わたしが小さかったころは、玄関に鍵をかける習慣はありませんでしたが、いまは鍵をかけています。まわりの環境が変わっていくことで、身を守るための習慣を変えていくのは、人間の自然なふるまいです。だから気をつけて、新しい鍵のかけ方を学んでいく必要があるのです。

[注9]……ネズミ講は、会員をネズミ算式に増やしていくことを条件に、会員になった人が会員になるときにはらった以上の利益を得られるようにした組織です。法律で禁止されています。

第8章
はじまりのおわりの
不思議

8-① 空港でびっくり

空港へ

すがすがしい朝です。

たくさんの自動車が力をあわせて計算した予報のとおり、翌朝は快晴でした。

叔父さんはあっちゃんこたち3人組を車に乗せて、空港まで送りました。

●純ちゃんコラム

人と地球と
インターネットの話

　空港でたくさんの国からきた人びとが行きかっているように、インターネットもいろんな国にあるネットワークが集まってできています。今回、3人組がホイッと知らない国に来てしまったように、インターネットでは国境をこえて、光の速さで情報が伝わります。ケンチャが最初に測った133ミリ秒という時間をおぼえているでしょうか。あれはじつは、光が地球を一周する時間なのです。これを短いとみるか、長いとみるかはそれぞれですが、国と国とのあいだを、情報はあっというまにとびこえてしまうことができます。あっちゃんこたちが、不思議の国という外国の決まりごとに接してとまどったように、国のなかだけの決まりごとではうまくいかない場合もあるでしょう。

　地球規模でみんながうまくやっていくためには、みんなが考えていることを地球規模で伝えあえる、インターネットという道具が役に立つはずです。そして、インターネットそのものが地球規模のシステムなので、地球規模でみんながうまくやっていくということの実験台として使えます。インターネットをどうやってうまく、みんなが協調して動かしていけるかに、地球のいろいろな問題を解決するための、大きなヒントがあるはずなのです。

万国からの人びと

「うわあ、たくさん人がいるのね！」

空港の建物のなかに入るなり、あっちゃんこはびっくりしました。

ほんとうに、たくさんの人びとがいました。

世界中のいろんな国から来た人たちがいて、不思議の国の見学に来たり、仕事で来たり、用事を終えて帰っていくところなのです。

あっちゃんこも、ケンチャも、パピーちゃんも、これだけいろいろな国からやってきた人びとをいちどに見たのはこれが初めてでした。

8-2 不思議の国からの旅立ち

叔父さんとのお別れ

搭乗のためのチェックインを終えた3人組は、いよいよ叔父さんとお別れです。

「叔父さん、ありがとう」

「ありがとうございました」

「ありがとうなの」

3人組は、口ぐちに叔父さんにお礼を言いました。ほんとうに、叔父

さんがいなかったら、いまこうして帰りの旅をはじめることはできなかったでしょう。

「こちらこそありがとう」

叔父さんは言いました。

「ぼくはいままで、中心がなくてもだいじょうぶ、という不思議の国の考え方と、インターネットを徹底的に使うということのつながりがわからなかったんだ。でも、みんなのおかげで、わかったような気がするし、この国がますます好きになったよ。ぼくにとってのインターネットの不思議を、みんなは解明してくれたんだね」

そして最後に、叔父さんはあっちゃんこ、ケンチャ、パピーちゃんのそれぞれと、かたい握手をかわしました。

「ありがとう、探検隊のみんな」

3人組は手をふりながら、叔父さんと別れて搭乗口へと向かっていきました。

スットコホルム氏の贈りもの

いよいよ、飛行機に乗りこもうというそのときです。あっちゃんこが不思議な気配を感じてふり向くと、そこにはスットコホルム氏がいました。

「スットコおじいさん！」

あっちゃんこたちは、スットコホルム氏の車いすのところまでかけよりました。

「おじいさんも飛行機に乗るんですか？」

そこはもう、乗客しか入れない場所だったので、ケンチャはそう聞いたのです。

「いや、探検隊のみんなにお別れを言いに来ただけだよ」

スットコホルム氏はそう言うと、あっちゃんこを手まねきして、1冊の本を渡しました。

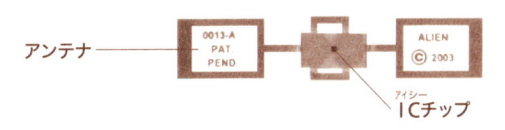

> アンテナ　ICチップ
>
> この本の最後には、図のようなRFIDタグがつけられています。
> この本につけられているRFIDタグは、ICチップとアンテナからなっています。ICチップはとても小さく、見た目はただの粒です。
> ICチップには、1個1個、べつべつの番号が書きこんであります。その番号は、数十センチメートルはなれた場所から、電波を使ったリーダ（読みとり機）で読みとることができます。
> このRFIDタグには、電池などの電源はついていません。リーダから受けた電波を利用して、番号を送り返すための電気を発生させているのです。

「あっちゃんこ、これはわたしからの贈りものだよ」

「ありがとう、スットコおじいさん」

スットコホルム氏があっちゃんこに渡した本の表紙には、『インターネットの不思議、探検隊！』と書かれていました。

「あっちゃんこたち、探検隊の名前が書いてあるよ！」

なかを見ると、字がたくさん書いてあったので、あっちゃんこはケンチャに読んでもらうことにしました。ケンチャが本のページをパラパラとめくると、そこには、あっちゃんこ、ケンチャ、パピーちゃんの3人組の、いままでの冒険談が書かれていたのです。スットコホルム氏の不思議な贈りものでした。

「これを持っていれば、わたしにもあっちゃんこが見えるんだよ。つぎに不思議の国に来るときには、かならず持っておいで」

その本にはRFIDタグが内蔵されていました。

そうです。この『インターネットの不思議、探検隊！』という本にも、新しい試みとしてRFIDタグがつけられています。みなさんも、不思議の国を訪れるときには、かならずこの本を持ってきてくださいね[注1]。

■［注1］……不思議の国への行き方はこちら → http://www.accianco.jp/

スットコホルム氏は3人組に手をふると、車いすを走らせて向こうのほうへと消えていきました。

最後のドタバタ

あっちゃんこ、ケンチャ、そしてパピーちゃんは、不思議の国航空の飛行機の席に3人なかよく並んで座りました。

いよいよ離陸というときです。ケンチャのようすがおかしいことに、あっちゃんこが気づきました。

「どうしたの、ケンチャ。エネルギーが足りないの?」

「ううん、ちがうよ」

ケンチャのエネルギーはあと1か月分あります。

じつは、ケンチャは、初めて飛行機に乗るので、こわかったのです。

「自分がお空を飛べるのに、飛行機がこわいなんてヘンなの!」

「ケンチャ、だいじょうぶなの。ボクも飛行機が初めてなの」

パピーちゃんがやさしくなぐさめてくれます。

そのとき、グーンッと加速がかかって、飛行機が離陸をはじめました。

「うわーっ!」

ケンチャがさけび声をあげます。

「ケンチャ、しっかり!」

「ケンチャ、だいじょうぶなの、しっかりするの!」

「ひえー」

ケンチャは気を失いかけました。

「んがも!」

でも、飛びはじめたら、なんということはありませんでした。自分で飛ぶよりラクチンだったのです。

3人組は、不思議の国に一瞬でポンッと来てしまったこととくらべる

と、とても長い長い時間を飛行機のうえで過ごしました。

⑧-③ エピローグ 〜新しい探検をはじめよう！

空港で

　空港には、あっちゃんこのお母さんがむかえに来ていました。
「ママーっ！」
　あっちゃんこは、お母さんにとびつきました。
「おかえり、あっちゃん」
「ただいまーっ！」
　ケンチャも、パピーちゃんもうれしそうです。
「おかえり、ケンチャ」
「ただいま！」

「おかえり、パピーちゃん」

「ただいまなの！」

3人組は、口ぐちにお母さんにこれまでのことを報告しました。お母さんは「そうなの」と、やさしい笑顔で聞いています。

それは3人組がお母さんの車に乗って、家に帰り着くまで、えんえんと休むことなく続きました。

はじまりのおわり

あっちゃんこたち3人組は、長いようで短かった旅を終えて、ようやく、家にもどってきました。

叔父さんやスットコホルム氏のいる不思議の国は、インターネットを応用した新しいことを、実験としていろいろ試している地域なのだといいます。インターネットそのものが、そういった意味では、じつは実験なのです。

実験の成果をいかして、よりよい社会をつくったり、新しい実験をはじめること。そのためにいろんなことに興味をもって、不思議を解明していくことが、この本の読者のみなさんや、あっちゃんこたちのつぎの探検ミッションです。

あ と が き

　インターネットをめぐる、あっちゃんこたちの冒険の話、いかがでしたか？

　この物語の主人公は、あっちゃんこでしたが、わたしは、インターネットの主人公ってだれなんだろう、ということをいつも考えています。

　世の中には、いろいろな主人公がいます。たとえば、スペースシャトルに乗る宇宙飛行士も主人公、スポーツのヒーローも主人公かもしれません。だけど、わたしは、インターネットでは、みんなが主人公だと思います。ひとりひとりの世界のなかでの主人公は、みなさんじしんだからです。

　その主人公が、新しい挑戦をします。困難に立ち向かいます。なにかを解決します。よいことをします。楽しい思いをします。そのすべてのことに、インターネットはかかわっていくのだと思います。自分の人生の主人公であるみんなが、さあ、なにかをしよう、解決しようというとき、それをささえられる仕組みがインターネットだと思います。

　インターネットができたことで、大きく変わったのは可能性です。夢を現実にするのに、デジタル・テクノロジーはものすごく役に立ちます。

　みんながつながっているなかで自由に、新しい世界をつくる創造性を発揮できます。自分の信じる夢に挑戦することができるのです。

それはとっても楽しいことだと思います。

　同時に、そのことには責任がともないます。世界中の人がいっしょにいるので、世界の一員として、自分の夢を追求するという責任があります。

　とはいえ、みんなが自分の力を信じて、自分の生活と夢を実現できる、自由と創造性の国。わたしはそんなイメージをインターネットにはもっています。そんな国がつくれるようになったので、つぎの世代への期待があるのです。

　わたしは、スットコホルム氏のような天才ではないので、新しい世界をつくることはできないと思っていますが、つぎの世代はわたしが解きたい問題を解いてくれるかもしれないと考えています。わたしがインターネットをつくることになったそもそものきっかけは、そのことができやすい環境をつくりたいと思ったことでした。

　いま、わたしは、どんな可能性でも考えられて、なんでもできるという状況に、その環境をどんどん近づけていきたいと思っています。それをふまえて、つぎの世代の人には、いろいろなチャレンジをしてほしいのです。

　これが、わたしからつぎの世代に向けてのメッセージです。

2003年7月14日
村井 純

社会がみえる! waku waku book
インターネットの不思議、探検隊!

2003年9月12日　初版印刷
2003年10月4日　初版発行

著者	村井 純
イラスト	山村浩二
ストーリー	斉藤賢爾
キャラクター原案	松永敦子
装丁	箕浦 卓
本文デザイン／組版	スタジオ・ポット
編集	木原 浩＋北山理子
発行	株式会社 太郎次郎社エディタス
	東京都文京区本郷5-32-7　〒113-0033
発売	株式会社 太郎次郎社
	東京都文京区本郷5-32-7　〒113-0033
	電話　03-3815-0605
	出版案内サイト　http://www.tarojiro.co.jp/
	電子メール　tarojiro@tarojiro.co.jp
印刷 製本	凸版印刷株式会社
定価	カバーに表示してあります。

ISBN4-8118-0751-0 C8055
©MURAI Jun, YAMAMURA Koji　2003

●協力
WIDEプロジェクト

●RFIDタグ協力
凸版印刷株式会社
東レインターナショナル株式会社／Alien Technology Corporation
Auto-ID Center／トッパン レーベル株式会社

●**http://www.accianco.jp/** にアクセスすると、
この本についているRFIDタグを使ったイベントについて知ることができます。
イベントは、WIDEプロジェクトの研究の一環として行なわれます。

●RFIDタグは、とりはずさないでください。
RFIDタグのICチップをとがったものなどで押さないでください。
RFIDタグのおとりかえ、また、RFIDタグが破損した本のおとりかえには、
原則的に応じられません。
ただし、上記イベントの会場で不都合があったさいには、
その場でRFIDタグのみをおとりかえいたします。

旅する気分で「数楽」しよう

数学ひとり旅
全3巻

榊 忠男●著

トモコとヒロキ、そして謎の案内人といっしょに、
「数楽の旅」にでかけよう！
小学校上級から大人まで、ひとりでたのしく読める物語仕立て。
中学数学の基礎、そして数学のホントのたのしさを届けます。

中学1年
- 第1章　正負の数の国
- 第2章　文字と方程式の国
- 第3章　比例と反比例の国
- 第4章　図形の国
- 第5章　整数の国
- ●256ページ

中学2年
- 第1章　連立方程式の街
- 第2章　1次関数の街
- 第3章　空間と図形の街
- 第4章　統計の街
- 第5章　不等式の街
- 第6章　文字式の広場
- ●280ページ

中学3年
- 第1章　平方根の街
- 第2章　2次式の街
- 第3章　2次方程式の街
- 第4章　2次関数の街
- 第5章　ピタゴラスの定理の街
- 第6章　円の街
- 第7章　図形の計量の広場
- 第8章　確率・統計の街
- ●280ページ

●A5判上製・各2500円＋税